DATE DUE

siècle, les explorateurs

tion : l'inconnu. Leurs

D1402873

« *Pour que les enfants puissent devenir des citoyens pleinement responsables et acteurs de leur environnement, il est nécessaire de leur transmettre les clés pour mieux comprendre le monde vivant qui les entoure.* »

Nicolas Hulot

Directrice de collection : Nassera Zaïd
Direction éditoriale :
Bénédicte Servignat / Fabrice Le Jean
Direction artistique :
Nicolas Galy pour www.noook.fr
Édition : Géraldine Ségaud
Illustrations : Nicolas Ryser
Infographie : Stéphane Valley,
svalley@2visudesign.com
Iconographie : Espérance de Oliveira
Fabrication : Sandrine Levain

Sommaire

Ushuaïa Junior

GRANDS EXPLORATEURS : *conquérants de l'inconnu*

Anne Thévenin

>> UN DÉFI POUR LA TERRE

Avec de grands voiliers qui leur permettent de voyager de longs mois sur les océans, les Européens atteignent la Chine par la mer dès le XVIe siècle. Ce navire est ancré dans le delta du fleuve Yang-Tsé-Kiang, le plus long fleuve d'Asie sur lequel circulent alors des jonques.

Joe Black Fox ou Joe Renard Noir
est un Indien Sioux, originaire des Grandes
Plaines d'Amérique du Nord. Pour échapper
à l'ennui de la vie dans les réserves,
il participa avec Sitting Bull au grand
spectacle de Buffalo Bill, *L'Ouest sauvage*,
qui vint faire une tournée en France
en 1889.

En explorant les eaux du Pacifique Nord, en 1741, le Danois Vitus Béring fut le premier Européen à accoster en Alaska, dans le Grand Nord du continent américain. Les Inuits y confectionnaient leurs vêtements à partir de matériaux fournis par la faune, de façon à se protéger contre le grand froid. C'était encore le cas en 1920, date de cette photo.

Le peuple Latuko vit dans les régions montagneuses au sud du Soudan, en Afrique. Les Européens les rencontrèrent pour la première fois en 1863. Cette photo d'une femme Latuko et de son enfant fut prise en 1952.

Pour la première fois de leur histoire, le 21 juillet 1969, des hommes marchent sur la Lune, située à 380 400 kilomètres de la Terre. Les deux astronautes américains plantent leur drapeau, puis prennent des photos. Ici, Edwin Aldrin est photographié par son compagnon Neil Armstrong. Au cours de cette mission, les deux hommes restent près de trois heures sur la Lune.

POURQUOI PAS LES ARABES OU LES CHINOIS ?

Au XVe siècle, les Chinois et les Arabes sont, au même titre que les Européens, en situation de se lancer sur les mers. À cette époque, les Chinois utilisent la boussole depuis déjà plusieurs siècles, et ils ont des jonques pouvant porter douze grandes voiles et embarquer un millier d'hommes. Quant aux Arabes, dont la géographie est excellente, ils sont les premiers à penser, avec raison, qu'il est possible de contourner le continent africain pour atteindre l'océan Indien. Alors, que s'est-il passé ? À cette période, la Chine se referme sur elle-même, il n'est donc pas question pour elle de partir explorer de nouveaux territoires. En ce qui concerne les Arabes, leurs navigations le long des côtes les ont conduits à dominer le « vieux monde » : ils sont maîtres de la voie vers les épices. Ils n'éprouvent donc pas le besoin d'ouvrir de nouvelles routes maritimes. Voilà pourquoi, au XVe siècle, seuls les Européens partent explorer et découvrir le monde.

Les grands explorateurs

L'histoire des explorateurs européens raconte la palpitante découverte du monde. Ces hommes repoussent les limites géographiques des territoires connus. Ils ont rêvé d'univers merveilleux ou différents et, un jour, ils osent l'aventure, pleine de dangers, où d'heureuses réussites côtoient des catastrophes. Ils décident de quitter leur pays, leur famille, perdant leurs repères habituels, pour découvrir des régions qui n'étaient connues que de leurs habitants. Ces hommes curieux et persévérants observent, puis décrivent des terres, des peuples, une faune, une flore insoupçonnés et inconnus des Européens, racontant leurs épopées à travers lettres ou livres. Ils bousculent les idées que leurs contemporains se font du monde. Leur faim d'exploration répond pour certains à la curiosité de savoir, et pour d'autres au plaisir de braver l'horizon, à un désir de gloire, d'enrichissement ou de répandre le christianisme.

LA FOLIE DES ÉPICES

L'engouement pour les épices s'empare de l'Europe au Moyen Âge. Les clous de girofle, le gingembre, la cannelle, le poivre, l'encens sont très recherchés et parcourent des milliers de kilomètres avant d'atterrir sur les étals des marchands européens. En cuisine, ces nouvelles saveurs servent à masquer l'odeur et le goût insupportables des viandes que l'on sait mal conserver. Elles entrent aussi dans la composition des parfums et de remèdes en pharmacie, comme le camphre. L'Église, enfin, consomme des épices pour parfumer l'encens. Produites dans les pays de l'Extrême-Orient et du Moyen-Orient, les épices sont extrêmement chères, en raison des longs voyages et des intermédiaires. Les marchands arabes les achètent directement en Orient, puis les revendent, dans les ports de la Méditerranée orientale, aux marchands italiens, qui les revendent ensuite sur le continent européen à des prix élevés. La recherche d'une route directe pour rapporter des épices conduira les Européens à parcourir toutes les mers du globe.

L'AVENTURE POUR LA CONNAISSANCE

En 1735, le Français Charles Marie de La Condamine, « connaisseur des sciences », part, accompagné d'autres savants, effectuer des calculs de l'arc du méridien terrestre dans l'actuel Équateur, pour les comparer avec des mesures faites en Laponie et vérifier si les pôles sont aplatis. À la suite de cette mission, mû par l'esprit de recherche de nouvelles connaissances, il suit, à travers la dense forêt équatoriale, le cours du fleuve Amazone, qu'il va cartographier. Ce périple sera aussi l'occasion de découvrir la richesse botanique de cette forêt et de recueillir des spécimens de plantes inconnues en Europe, notamment le caoutchouc, dont la sève a des propriétés d'élasticité.

L'*ATLAS CATALAN* ET L'OR DU MALI

L'*Atlas catalan*, attribué à Abraham Cresques et écrit en 1375, fait figurer des mythes sur les cartes des régions mal connues. Il représente ainsi le légendaire Mansa Musa, roi du Mali, en Afrique. Selon la légende, cette contrée recèlerait d'abondantes quantités d'or, l'emplacement supposé de ses mines étant tenu secret. Ces mines mythiques feront rêver les Européens.

Alexandre

LES ÉLÉPHANTS DE COMBAT D'ALEXANDRE

Alexandre est fasciné par les éléphants qu'il affronte en Inde. Les éléphants sont massifs, puissants, émettent des barrissements impressionnants et sèment la terreur dans les rangs adverses. Mais, blessés, ces mastodontes deviennent incontrôlables, peuvent tuer leur cornac et devenir dangereux pour leur propre camp. C'est pourquoi Alexandre les utilisera avec prudence, jamais en première ligne. Dans le monde grec, le pachyderme d'Asie est resté l'une des découvertes les plus marquantes de l'expédition.

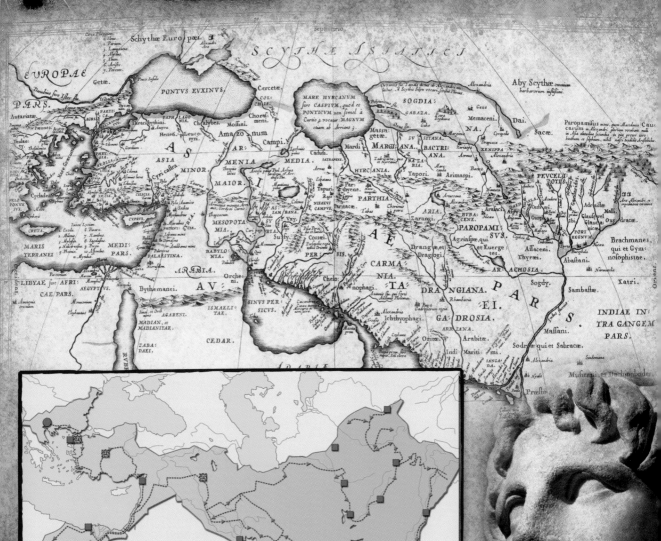

Cette carte figure l'immensité de l'Empire Perse, près de 4 000 kilomètres d'Ouest en Est, de l'Égypte à l'Indus, qu'Alexandre va découvrir.

le Grand,
le précurseur

Alexandre le Grand, maître de la Grèce, se lance à la conquête du monde. En 334 avant Jésus-Christ, il mène une vaste campagne militaire contre les Perses. Quand il meurt, probablement de la malaria, en 323 avant J.-C., il a conquis cet immense empire perse qui s'étend jusqu'en Inde. Ses expéditions militaires sont l'occasion pour ce jeune conquérant de se rendre dans des régions où les Méditerranéens ne s'étaient jusque-là jamais aventurés. Grâce à lui, l'Occident et l'Asie se rencontrent. Animé par la curiosité scientifique et doté d'une grande érudition, Alexandre adjoint à l'expédition des savants : géographes, astronomes ou naturalistes, qui vont explorer les contrées parcourues et enrichir les connaissances sur ces territoires jamais observés. Ainsi, en Inde, les botanistes étudient des plantes inconnues, notamment le cotonnier, le riz, la canne à sucre, le bananier, le figuier banian, le manguier et des plantes odoriférantes. D'autres savants décrivent aussi la faune – dont les perroquets imitant la voix humaine –, le climat, la géologie et la façon de vivre des peuples.

NÉARQUE ET LES MANGEURS DE POISSONS

Néarque dirige la flotte qui explore la côte entre l'embouchure de l'Indus et le golfe Persique de 325 à 324 avant J.-C. Il reconnaît les rivages, les îles, les mouillages, les cités, établissant le premier portulan (livre contenant la description des ports et des côtes). Il s'intéresse à la façon de vivre des indigènes, à la faune, à la flore, aux ressources naturelles. Dans son journal de bord, il relate toutes ses observations, dont sa rencontre avec les ichtyophages, les mangeurs de poissons. Ces hommes pauvres vivent dans des maisons construites avec des coquillages et des os de baleine, aux toits recouverts de peaux écailleuses. Ils peuvent se vêtir de la peau de cétacés. Enfin, ils mangent du poisson sous toutes ses formes. « Avec du poisson séché et pulvérisé, ils faisaient une sorte de pain, et ils nourrissaient de poisson sec le rare bétail qu'ils possédaient », note Néarque.

LA BIBLIOTHÈQUE D'ALEXANDRIE : CENTRE DES SAVOIRS

En 331 avant J.-C., Alexandre fonde Alexandrie, en Égypte. Au IIIe siècle avant J.-C., la bibliothèque d'Alexandrie, l'une des merveilles du monde antique, est construite avec un but idéal : rassembler tous les livres existants en un lieu où les savants pourront venir les consulter. Tous les livres écrits en grec et dans d'autres langues sont systématiquement achetés. Et même lorsque les bateaux accostent à Alexandrie, les livres qu'ils transportent sont saisis : la bibliothèque conserve l'original et délivre une copie au propriétaire. Les plus grands érudits viendront étudier les manuscrits conservés à Alexandrie, et certains d'entre eux vont parfois réviser des textes qui ont été mal recopiés. La bibliothèque comptait 700 000 rouleaux de papyrus, tous classés. Elle sera détruite par le feu en 391 après J.-C.

Le saviez-vous ?

LES ARPENTEURS

Les arpenteurs, appelés bématistes, devaient calculer chaque jour les distances parcourues, aidant ainsi les géographes à établir leurs cartes. Ils devaient aussi décrire les pays qu'ils traversaient et les peuples qu'ils rencontraient. Amyntas, l'un de ces arpenteurs, évoque les invasions de rats dans la région de la mer Caspienne, au moment des inondations dues aux pluies de mousson. Il explique les ravages qu'ils font dans les cultures et comment ils résistent aux inondations. Il note enfin qu'ils sont éliminés par des rapaces.

Sur cette carte ancienne, indiquant les lieux cités par Marco Polo, le Sud est en haut, le Nord en bas. Au Moyen-Âge, sous l'influence arabe, les cartes sont souvent orientées ainsi. C'est seulement à partir du XVIe siècle, en raison de l'usage de la boussole, qu'elles seront systématiquement orientées au Nord.

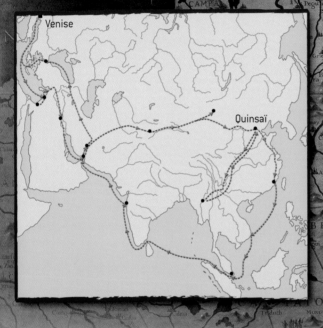

VENISE LA MAGNIFIQUE

Quand les Barbares eurent déferlé sur l'Italie, les populations trouvèrent refuge sur les îlots sableux des lagunes sur la façade Adriatique. Ce fut la naissance de Venise. Au temps de Marco Polo, cette ville bâtie sur les eaux, avec son arsenal où sont construits les navires, ses entrepôts remplis de marchandises, ses palais, ses places, ses canaux et ses ponts, compte 100 000 habitants. Elle est l'une des principales puissances commerciales de son temps. Elle détient des quartiers à Constantinople ou à Alexandrie, des comptoirs jusqu'à la mer de Crimée, et contrôle des régions de la Grèce. Elle occupe un rôle d'intermédiaire entre l'Orient et l'Occident. Venise fait le commerce du bois, des céréales, des métaux, du sel, du vin, du sucre, et aussi des esclaves. Elle fournit enfin à l'Occident ses produits de luxe venus de contrées lointaines : soies, épices, perles, métaux précieux.

Marco Polo explore la Chine

1271-1296

Marco Polo est sans doute le plus grand voyageur du monde chrétien en Asie. Il est connu pour sa curiosité, son expérience et son influence. En 1271, à l'âge de 17 ans, il accompagne son père et son oncle, des marchands de Venise, à la cour du Grand Khan, l'empereur mongol qui dirige la Chine. Son voyage l'émerveillera, et le récit qu'il en rapportera le rendra célèbre. À cette époque, les Mongols d'Asie centrale ayant conquis et « pacifié » une grande partie de l'Asie, la route de la Chine est ouverte aux Européens et le demeurera pendant un siècle. Curieux de tout, pendant les trois ans et demi que dure le voyage pour se rendre en Chine, Marco Polo apprend le persan et le mongol. Peu de temps après son arrivée, il se met au service du Grand Khan et accomplit pour lui des missions administratives dans toute la Chine, qu'il va explorer avec enthousiasme et intérêt pendant dix-sept ans, tandis que son père et son oncle s'adonnent aux affaires. Enfin, les trois marchands regagnent l'Italie en trois ans, par mer et par terre. Et quand, après vingt-quatre ans d'absence, ils atteignent Venise, où on les croyait morts, ils décousent leurs vêtements, faisant jaillir des pierres précieuses, légères à transporter et faciles à dissimuler aux voleurs.

LA GENÈSE DU *LIVRE DES MERVEILLES*

En 1298, Venise et Gênes, ennemies traditionnelles, se livrent à une bataille navale dont l'enjeu est leur domination en Méditerranée. Les Génois, victorieux, font des prisonniers, dont le Vénitien Marco Polo. À Gênes, ce dernier se lie d'amitié avec un autre détenu, Rusticien de Pise, auteur de récits chevaleresques, à qui il livre ses souvenirs de voyage. C'est ainsi que s'écrira *Le Livre des merveilles* : un récit d'aventures, entre reportage sur les mœurs des peuples et recueil de fables. Marco Polo y décrit avec exactitude les villes et la vie quotidienne qu'il a pu observer en Orient. Toutefois, lorsqu'il évoque des contrées qu'il n'a pas visitées, comme Cipangu (le Japon), ses descriptions de palais aux sols et aux toits d'or ne sont pas vraiment conformes à la réalité.

UN MOUFLON DOIT SON NOM À MARCO POLO

Le mouflon Marco Polo a des cornes torsadées d'environ 2 mètres de long. Décrit dans *Le Livre des merveilles*, il portera naturellement le nom de son auteur : « Ils ont des cornes très grandes, certaines de six bonnes palmes de long, et pour le moins de trois ou quatre. De ces cornes, les bergers font de grandes écuelles où ils mangent, et aussi des enclos pour leurs troupeaux. »

Zoom

« C'est la plus grande ville que l'on puisse trouver au monde, et l'on peut y goûter tant de plaisirs que l'homme s'imagine être au paradis », écrivait Marco Polo à propos de la flamboyante ville de Quinsaï, actuelle Hangzhou, située sur la côte méridionale chinoise, à l'embouchure du fleuve Tsientang. C'était un grand centre de commerce maritime et fluvial. La ville comptait alors 1 million d'habitants. Elle était parcourue d'une foule de gens appelés par leurs affaires ou se rendant dans des boutiques qui faisaient commerce de perles, d'épices ou de vin de riz, ou sur l'une des immenses places où se tenaient des marchés aux étals garnis de gibier, de légumes, de fruits, de poissons.

Christophe Colomb

Cette carte du monde établie d'après le géographe Ptolémée (IIe siècle après J.-C.) et encore en usage au XVe siècle, figure les trois continents connus : l'Europe, l'Asie et l'Afrique. Elle permet de comprendre la certitude de Colomb. Il pensait qu'il suffisait de traverser l'Atlantique pour atteindre l'Asie.

Portugal
Espagne
Hispaniola

? Le saviez-vous ?

Au Moyen Âge, les papes avaient imposé de disposer des terres des peuples « païens, idolâtres » pour les concéder à un roi chrétien qui aurait alors pour devoir de les évangéliser. En 1494, sous l'autorité du pape, le Portugal et la Castille vont se partager les terres inexplorées suivant une ligne verticale imaginaire (2 200 kilomètres à l'ouest de l'archipel du Cap-Vert), tracée en plein inconnu. Le traité de Tordesillas est le premier partage du monde, et il aura pour résultat l'implantation des Portugais au Brésil (en 1500, Cabral y plante l'étendard portugais) et des Espagnols dans le reste de l'Amérique du Sud.

découvre le 1492-1504
Nouveau Monde

Colomb, excellent navigateur génois, sait que la Terre est ronde, mais pense, comme ses contemporains, qu'elle ne compte que trois continents : l'Europe, l'Afrique et l'Asie. Il est convaincu de trouver une nouvelle route des Indes (terme désignant alors tout l'Extrême-Orient pour les Européens) et d'atteindre la Chine et le Japon (le fameux Cipangu si riche selon Marco Polo) en naviguant par l'ouest sur l'océan Atlantique, qu'il voit comme une « petite mer ». Après sept ans de démarches obstinées, il arrive à convaincre les souverains espagnols, intéressés par l'or et la mission catholique, de financer son projet. L'expédition, qui compte trois caravelles et une centaine d'hommes, quitte enfin l'Espagne le 3 août 1492. Après une escale aux Canaries, Colomb fait route plein ouest et touche terre le 12 octobre sur une des îles Bahamas. Puis il découvre Hispaniola, actuellement partagée entre Haïti et la République dominicaine, et Cuba. Ce grand connaisseur des vents emprunte la meilleure route maritime pour revenir en Espagne. Il entreprendra encore trois voyages, qui le conduiront sur les rivages du continent américain. Ce grand explorateur a été le découvreur d'un « nouveau monde ». Toutefois, il est mort en 1506 en s'obstinant à penser qu'il avait atteint l'Asie et non découvert l'Amérique.

LA CARAVELLE : NAVIRE DES DÉCOUVERTES
Conçue par les Portugais vers 1430, la caravelle est le navire des grandes découvertes. Ce voilier relativement petit (un navire de découverte doit surtout rapporter des informations et non une cargaison) est pourvu de deux voiles carrées – aptes à recevoir le vent arrière, permettant donc une bonne allure –, d'une voile triangulaire dite « latine » – pour tirer des bords et donc manœuvrer – et d'un gouvernail d'étambot. Il est maniable et capable de naviguer par tous les temps, condition essentielle pour assurer le retour, car sans retour il n'y a pas de découverte. Enfin, il a un faible tirant d'eau, ce qui le rend apte à explorer les côtes. À bord de la caravelle, les navigateurs disposent d'une boussole.

L'ORIGINE DES NOMS
Colomb est tellement persuadé qu'il a abordé aux Indes qu'en octobre 1492, à Cuba, il munit son interprète-ambassadeur d'une lettre pour le Grand Khan, l'empereur de la Chine de Marco Polo ! Alors, évidemment, Christophe Colomb appelle les hommes qu'il rencontre des « Indiens ». On nommera ensuite « cochon d'Inde » et « dindon » les animaux découverts en Amérique. Les Anglais, quant à eux, donneront le nom d'« Indes occidentales » aux îles des Caraïbes qu'ils coloniseront.

Le saviez-vous ?

Vers l'an 1000, Leif, le fils du Viking Érik le Rouge, rendu célèbre par la saga qui porte son nom, part du Groenland et, après quelques jours de navigation, aborde les côtes de l'Amérique du Nord. Il passe l'hiver sur une terre qu'il baptise Vinland, ou « pays du vin », en raison de la vigne qui y pousse à l'état sauvage. Puis il rentre au Groenland. Au cours des années suivantes, d'autres Vikings séjourneront eux aussi au Vinland. Ainsi, les courageux Vikings ont été les premiers Européens à atteindre l'Amérique. Mais ont-ils « découvert » ce continent ? Non, car atteindre l'Amérique n'a pas modifié leur vision du monde, ni celle d'autres peuples.

Eskimo

Assiniboin

Blackfeet

Cree

Nez-percé

Huron

Iroquois

Sioux

Shoshone

Cheyenne

Cherokee

Hopi

Kiowa

Apache

Seminole

Comanche

Aztèque

Maya

Zoom

D'OÙ VIENT LE NOM DU BRÉSIL ?

Au Brésil pousse alors en abondance un arbre tropical qui, séché et broyé, donne un colorant couleur de braise. Le nom du Brésil vient d'une déformation du mot « braise », *braza* en portugais.

Arawak

Caraïbe

Jivaro

Tupinamba

Guarani

Inca

Gé
Cacroa, Kayapo, Apinayéi

LES « INDIENS »

Les ancêtres des « Indiens » qui peuplent le continent américain en 1492 sont venus d'Asie septentrionale entre 30 000 et 10 000 avant J.-C., au moment de la dernière glaciation, alors qu'au niveau de la mer de Béring un pont glaciaire reliait l'Asie et l'Amérique du Nord. Ces tribus migrèrent vers le sud du continent et certaines se sédentarisèrent au Mexique et en Amérique centrale. En 1492, ils sont environ 60 millions : 22 millions sur le plateau central mexicain, 12 millions dans les Andes, le reste se répartissant en fonction des contraintes de l'environnement. Ils pratiquent l'échange et ne connaissent ni les chevaux ni les armes à feu. Colomb a décrit les « Indiens » qu'il a rencontrés avec étonnement (hommes et femmes étaient complètement nus) et un fort sentiment de supériorité. Il les considérait comme des êtres inoffensifs qu'il serait facile d'évangéliser.

Mafuche

Puelche

La conquête du continent américain

1500-1535

La recherche d'un passage maritime vers la Chine en essayant de traverser le Nouveau Monde ou en tentant de le contourner par le nord conduit les explorateurs à longer ses côtes et ainsi à les reconnaître et à les cartographier. En 1502, Amerigo Vespucci longe le littoral atlantique de l'Amérique du Sud sur 3 850 kilomètres, prouvant qu'il s'agit d'un continent (le nom « Amérique » sera d'ailleurs choisi en hommage à Amerigo). En 1508, c'est au tour de Sébastien Cabot d'explorer les côtes de l'actuel Canada. Puis c'est à celui de Verrazano, qui, en 1524, reconnaît 2 500 kilomètres de côtes entre l'actuel État de Caroline du Nord et Terre-Neuve. Ces expéditions ne débouchent pas sur la découverte d'un passage vers l'Asie, mais démontrent que le Nouveau Monde constitue une immense barrière, un continent entre l'Europe et l'Asie. À la suite de ces découvertes majeures, Cortés et Pizarro, des conquistadors assoiffés d'or, lanceront des expéditions à l'intérieur des terres. Avec eux, l'exploration cède la place à la conquête violente, notamment envers les civilisations précolombiennes au Mexique et au Pérou.

ÉPIDÉMIES ET TRAVAIL FORCÉ POUR LES INDIENS D'AMÉRIQUE CENTRALE

Considérés comme des êtres inférieurs par les conquérants, les Indiens sont rapidement soumis à une forme d'esclavage et utilisés jusqu'à épuisement dans les mines, les plantations, ou pour le portage. Mais d'autres maux apportés par les Européens seront les maladies (la variole, la rougeole, la grippe), qui vont décimer les populations indigènes, dépourvues d'immunité face à ces infections ; on parle de « choc microbien ». Huit Indiens sur dix mourront entre le début et la fin du XVIIᵉ siècle.

HERNÁN CORTÉS BRISE L'EMPIRE AZTÈQUE ET CONQUIERT LE MEXIQUE : 1519-1521

En 1519, sur le territoire de l'actuel Mexique, l'Empire aztèque est doté d'une agriculture prospère, fondée sur la culture du maïs. Sa civilisation est brillante avec des villes et monuments impressionnants et aussi de somptueux objets en or, mais son unité est fragile. Cortés, un Espagnol, profite des dissensions au sein de royaumes aztèques et s'appuie sur la connaissance du pays d'une captive indienne devenue sa femme pour conquérir leur territoire. Au cours d'une avancée sanglante, les troupes de Cortés massacrent des milliers d'Indiens et profanent des lieux de culte. Malgré les révoltes, l'empire s'effondre en 1521, laissant le champ libre à Cortés, qui entreprend son exploitation. Les populations vivront l'invasion espagnole comme un ébranlement du cosmos.

LES JÉSUITES AU BRÉSIL

En 1554, les pères de la Compagnie de Jésus, les jésuites, fondent la première mission d'évangélisation des Indiens au Brésil. Refusant l'esclavage, ils vont en protéger les Indiens Guaranis (ils les autorisent à former des milices armées qui mettent en pièces les expéditions esclavagistes) tout en les christianisant. Ils regrouperont jusqu'à 150 000 Guaranis dans des villages fondés sur le refus de l'esclavage, sur la religion catholique et le travail agricole, et, de plus, dotés d'un cacique et d'un conseil municipal. C'est une réussite : à la fin du XVIIIᵉ siècle, l'agriculture fait la richesse de la région. Cette république guaranique, « triomphe de l'humanité » selon le philosophe Voltaire (pourtant habituellement opposé aux jésuites), sera l'une des voies originales par lesquelles l'Église catholique soumettra les Indiens au christianisme.

Vasco de Gama

Dès le milieu du XVe siècle, les rois portugais ont initié la première entreprise moderne d'exploration, avec des expéditions qui vont toujours plus au Sud le long de la côte africaine, aux frontières de l'inconnu : le cap Vert est reconnu en 1445, le delta du Niger en 1472, l'équateur en 1475, l'embouchure du Congo en 1482, le tropique du Capricorne en 1486. En 1487, Dias est le premier navigateur à comprendre que, entre le 30e et le 40e parallèle, il doit diriger ses navires vers la haute mer. Ensuite, il double le cap de Bonne-Espérance, mais, son équipage étant épuisé, il rentre au Portugal. En dépassant l'extrémité sud de l'Afrique, Dias a trouvé le passage vers les Indes par l'Est et a ouvert la route à Gama.

D'Inde, Vasco de Gama rapportera des produits très recherchés en Europe.

De la porcelaine de Chine

Des graines et des épices

LA TRAITE DES ESCLAVES

Un double courant de traite d'esclaves marque l'Afrique noire. L'un, ancien, est aux mains des marchands arabes : entre le VIIe et le XIXe siècle, la traite orientale déporte, au sein du continent et vers le monde musulman, plusieurs millions d'hommes et de femmes africains. L'autre, européen, naît au XVIe siècle et se poursuit jusqu'au XIXe. Il est aux mains des Portugais, puis des Hollandais, des Anglais et des Français. Il conduit à la déportation de plusieurs millions d'Africains vers les mines et les plantations du Nouveau Monde. Au-delà de ce désastre humain, la traite entraîne des guerres, ainsi qu'une régression démographique et économique en Afrique.

sur la route des Indes

1498

La fermeture des routes terrestres de l'Orient pousse les Européens sur les mers et leur fait découvrir les routes maritimes. En juillet 1497, Vasco de Gama quitte le Portugal à la tête de quatre navires armés d'une forte artillerie et de 160 marins et soldats. Ambassadeur du roi, il est chargé d'atteindre les grands ports du commerce indien. En allant s'approvisionner en épices directement par voie de mer, le Portugal vise en effet à court-circuiter les marchands intermédiaires : Vénitiens et Arabes. Après avoir décrit une grande boucle dans l'Atlantique sud, Gama double le cap de Bonne-Espérance. À partir de là, il navigue dans l'inconnu. Il remonte la côte orientale de l'Afrique en cabotant prudemment. Il recrute aussi un pilote arabe qui le guidera à travers l'océan Indien. En mai 1498, il atteint Calicut, en Inde. Il revient au Portugal en août 1499 avec 80 hommes seulement et deux navires remplis d'épices. Son exploit permet de délimiter l'océan Indien sur les cartes. Il ouvre aussi directement aux Européens les cultures et les connaissances de l'Extrême-Orient. Ce premier voyage annonce enfin la conquête des comptoirs établis par l'Europe sur le sous-continent indien, source des épices.

PILLEURS D'ÉPAVES
En 1627, une furieuse tempête en Atlantique fracasse sur les dunes des Landes françaises deux énormes vaisseaux venant des Indes. Ils sont chargés d'épices, de cotonnades, de soieries, de pierres de corail et de diamants, et portent chacun plus de 1 000 hommes, matelots et soldats. Les paysans accourus sur les plages secourent les survivants et pillent les biens échoués. Mais la prise est trop belle et la justice est saisie de l'affaire. Elle fait valoir que les biens échoués appartiennent aux propriétaires et que, s'ils ne se manifestent pas, ils reviennent pour un tiers au roi de France, un tiers au seigneur du lieu et le tiers restant au peuple.

Des plants de thé

Des ballots de soie

?

Le saviez-vous ?

L'ambre gris était acheté à des prix fabuleux par les parfumeurs. Il servait à fixer et à exalter des parfums délicats. Cette résine est une concrétion qui se forme quand les cachalots ingurgitent des poulpes. Ces déjections pesant parfois plusieurs kilos, qui s'échouent sur les rivages ou flottent à la surface de la mer, provenaient de l'océan Indien, notamment des Maldives.

LOUPS MARINS OU VEAUX MARINS :
LES PHOQUES D'ARGENTINE

« Ils n'ont point de jambes et leurs pattes, qui sont attachées au corps, ressemblent assez à nos mains, avec des petits ongles. » C'est ainsi que le narrateur de l'expédition Magellan décrit les phoques qu'il a pu observer avec l'équipage sur la côte atlantique de l'actuelle Argentine. Ils sont alors appelés aussi bien « loups marins », car leur cri ressemble à celui du loup, ou « veaux marins », car leur tête est pareille à celle d'un veau.

Zoom

À l'époque de Magellan, les navigateurs utilisaient l'astrolabe. Cet instrument de mesure, inventé par les Arabes, permet de calculer la latitude. Il se présente sous la forme d'un disque en métal de 10 à 50 centimètres de diamètre, avec un pointeur qui pivote sur son axe. Quand ce dernier est dirigé vers le Soleil ou une étoile, il mesure la distance angulaire et permet ainsi de calculer la latitude. L'astrolabe sera remplacé par le sextant au XVIIIe siècle.

Cette carte, l'une des plus anciennes cartes marines portugaises, représente le monde connu au moment où Magellan prépare son voyage. Le sud du continent américain, inexploré, n'est pas dessiné. On ne sait pas encore s'il existe un passage vers l'Asie.

Magellan, le premier tour du monde.

1519-1522

Magellan, un Portugais passé au service du roi d'Espagne, étudie les cartes des premières explorations. Il conclut à l'existence d'un passage, à l'extrême pointe de l'Amérique du Sud, permettant d'atteindre les Moluques, les îles aux épices. En septembre 1519, son escadre composée de cinq navires et de 265 hommes quitte l'Espagne. Un an plus tard, l'expédition découvre, entre la Patagonie et l'archipel de Terre de Feu, le détroit qui, depuis, porte le nom de Magellan. Elle s'y s'engouffre. Le navigateur arrive enfin dans l'océan qu'il nommera Pacifique, car pendant plus de trois mois il n'y affrontera aucune tempête. Mais la traversée est rude. Sans point de ravitaillement, à bord, c'est la famine. En 1521, Magellan aborde une île des Philippines ; il a atteint son but. L'explorateur sera tué par une flèche empoisonnée lors d'une expédition au cours de laquelle les habitants se rebelleront. Elcano prend à sa suite le commandement du seul vaisseau restant avec les 60 marins survivants. Après avoir rempli la cale d'épices aux Moluques, il regagne l'Europe par l'ouest. Il arrive en Espagne le 6 septembre 1522, trois ans après le départ, avec 18 survivants. Le navire aura parcouru 85 700 kilomètres et son périple aura démontré que la Terre est ronde.

LA TERRE TOURNE VRAIMENT !

Au retour de l'expédition Magellan, après leur tour du monde, les marins ne comprennent pas d'où vient le jour de décalage qu'ils constatent entre leur calendrier et celui de l'Europe. Pourquoi cette incompréhension ? Parce que les hommes de l'époque ne savent pas encore que la Terre tourne. Le savant Copernic a déjà tenté de prouver par des calculs mathématiques que la Terre tourne sur elle-même, mais l'Église a vite étouffé l'idée, continuant à affirmer que la Terre est immobile et au centre de l'univers. Les marins n'étaient, du coup, pas du tout au courant de la découverte de Copernic.

FRANCIS DRAKE, LE CORSAIRE

Francis Drake (1545-1596) est un célèbre corsaire britannique. Armé pour la course par la reine d'Angleterre, il s'attaque surtout aux galions transportant les richesses de l'Espagne. Alors que l'Espagne réclame son châtiment, la reine d'Angleterre l'anoblit. En 1580, il accomplit le deuxième tour du monde après Magellan.

Le saviez-vous ?

Parmi les dix-huit survivants qui rentrent en Espagne en 1522 avec Elcano, il y a Pigafetta, qui écrit le récit de l'expédition, intitulé *Premier voyage autour du monde*. Il y décrit les péripéties à bord et aussi la façon de vivre des peuples rencontrés : « Quand les Patagons, les habitants de l'extrême sud de l'Amérique, écrit-il, ont mal au ventre, ils se soignent en se faisant vomir ; les habitants de Zuluan dans les Philippines tirent des noix de coco leur pain, leur vin, leur huile, leur vinaigre. » Pigafetta s'intéresse aussi aux langues parlées par les peuples indigènes et nous apprend ainsi qu'en patagon « pied » se dit *hi* et « cœur », *tol*.

1534-1542

Jacques Cartier,

Montréal

Terre Neuve

Funk Island

Estuaire du Saint-Laurent

?

Le saviez-vous ?

En 1534, près de Terre-Neuve, l'équipage de Jacques Cartier accoste sur une île que le navigateur appelle l'île des Oiseaux (actuelle Funk Island) en raison du grand nombre de pingouins qui y nichent. Les matelots les chassent, en font fumer cinq ou six tonneaux, et repartent. Ces pingouins boréals, *Alca impennis*, se reproduisent sur des îles rocheuses, situées en pleine mer et à proximité de zones poissonneuses. De grande taille avec de petites ailes, ils ne volent ni bien ni haut, ce qui fait d'eux des proies faciles pour tous les marins qui passent. Ils seront d'abord chassés pour leur chair (dont les hommes se nourrissent) et aussi pour leur graisse (avec laquelle ils s'éclairent), puis, au XVIIIe siècle, pour leurs plumes. Autrefois répandus dans la zone arctique, ils ont aujourd'hui disparu.

un Français au Canada

L'expédition du Français Jacques Cartier, financée par le roi de France François Ier, a pour but de découvrir un passage maritime vers la Chine, mais par le nord du continent américain. Elle vise aussi à une exploration de l'intérieur des terres. Cartier quitte donc Saint-Malo en avril 1534 et, un mois plus tard, il atteint l'estuaire du fleuve Saint-Laurent au Canada. En raison de la taille de cet estuaire, Cartier espère qu'il s'agit là d'une voie d'eau permettant de traverser le continent. Mais, n'étant pas préparé pour l'hivernage dans cette région au climat très rude, il rentre en France en ayant malgré tout pris possession de cette terre lointaine, au nom du roi de France. En 1535, il repart et remonte cette fois le cours du Saint-Laurent sur 1 000 kilomètres jusqu'au site de l'actuelle ville de Montréal, où il doit s'arrêter en raison des rapides qui coupent le fleuve. Il fera un dernier voyage, en 1541, pour fonder la Nouvelle-France. Cartier n'aura pas trouvé de passage vers l'Asie. Il a toutefois reconnu et cartographié le site de la future Montréal. Le récit de ses explorations aura aussi fourni à l'Europe la première description de cette région de l'Amérique du Nord.

SAMUEL DE CHAMPLAIN (1567-1635)

En 1608, le Français Samuel de Champlain fonde, près de l'estuaire du fleuve Saint-Laurent, un comptoir du nom de Québec, ce qui lui vaudra d'être surnommé « le père de la Nouvelle-France ». Au cours de ses explorations à l'intérieur de l'actuel Canada, il partage la vie des Amérindiens et se déplace avec eux sur leurs pistes. Il sera le premier à décrire leur façon de vivre. Il apprend de ses guides, Hurons et Montagnais, le réseau des cours d'eau et des Grands Lacs, ce qui aidera cet excellent géographe à cartographier la région.

LES TERRE-NEUVAS, PÊCHEURS DE MORUES

Le grand banc de Terre-Neuve est un immense plateau sous-marin à peine immergé et très poissonneux. Du XVIe au XIXe siècle, les terre-neuvas, les pêcheurs qui s'y rendent, approvisionnent la France en morue. Avant de quitter le port, les matelots embarquent du sel, indispensable pour conserver la morue, et des vivres pour une campagne de pêche qui dure 6 mois. Le voyage aller, comme celui du retour, dure de 4 à 6 semaines. Sur le banc de Terre-Neuve, le travail est dangereux, en raison du brouillard qui égare nombre de bateaux, et éprouvant à cause du froid. À bord, les hommes souffrent du manque d'hygiène. Sur les côtes de Terre-Neuve, les pêcheurs nouent très tôt des relations avec des tribus d'Amérindiens.

Zoom

LE COMMERCE DES PEAUX

Aux XVIIe et XVIIIe siècles, dans le territoire de Québec, les Français pratiquent le commerce des fourrures, l'une des principales richesses de la région. Les Amérindiens échangent des peaux, particulièrement de castor, qui servent en Europe à la fabrication de chapeaux, contre des marchandises européennes (couteaux ou haches en métal, textiles, perles de verre, armes à feu). Mais les influences culturelles se passent dans les deux sens : les Français utilisent les raquettes des Indiens pour marcher dans la neige, l'hiver, et leur canot en écorce pour se déplacer sur les cours d'eau, l'été.

James Cook ou

Cette carte ancienne, issue de l'atlas d'Abraham Ortelius (1570) figure un continent austral gigantesque que les géographes imaginaient plein de richesses. En sillonnant le Pacifique, Cook démontrera que si un continent austral existe, il est beaucoup plus petit, beaucoup plus au Sud et très inhospitalier.

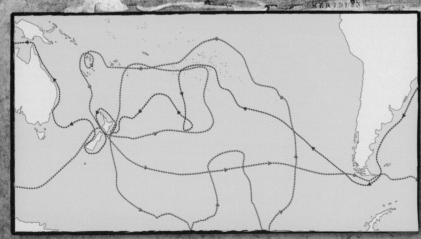

le mythe de la terre australale

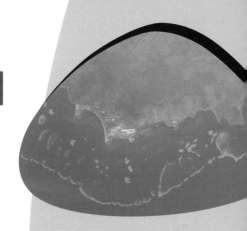

Le XVIIIᵉ siècle est notamment appelé le « second âge des découvertes » en raison du grand engouement pour les sciences qui le caractérise. Les géographes pensent alors qu'il pourrait exister un continent austral. Et le seul moyen de le vérifier est de s'y rendre. C'est ce que va faire James Cook, le génial navigateur anglais qui montera pas moins de trois expéditions dans le Pacifique. Il équipera des navires servant habituellement à transporter du charbon, qui sont, selon lui, très solides, et surtout qui possèdent une vaste cale et un faible tirant d'eau. Après plusieurs années de navigation, Cook va apporter la preuve que l'Australie est un continent insulaire. Il découvre et reconnaît la Nouvelle-Zélande et les côtes orientales australiennes, explore les îles Marquises, les Nouvelles-Hébrides, les îles de la Société et la Nouvelle-Calédonie. Grâce à lui, la géographie du Pacifique fait d'énormes progrès, et les naturalistes qui l'accompagnent rapportent en Europe une riche moisson de spécimens. En 1779, aux îles Hawaii, il est tué par des indigènes.

LA GRANDE BARRIÈRE DE CORAIL

La Grande Barrière de corail représente le plus important organisme vivant au monde. Longue de 2 000 kilomètres, elle est à une distance de 15 à 150 kilomètres du littoral au nord-est de la côte australienne. Elle est composée de 350 espèces différentes de corail. Actuellement elle souffre de l'augmentation de la température des océans et de la pollution des eaux par les pesticides utilisés dans les plantations de canne à sucre sur le continent australien.

LA RÉVOLUTION DU CHRONOMÈTRE DE MARINE

C'est en 1755 que Harrison, un horloger anglais, va révolutionner la navigation en inventant le chronomètre de marine, l'ancêtre de la montre, qui permet de calculer la longitude, c'est-à-dire la position est-ouest d'un point sur terre ou en mer. Jusqu'alors, seul le calcul de la latitude, la position nord-sud, était connu. Les marins étaient donc incapables de connaître leur position exacte, d'où de nombreux accidents quand ils arrivaient près des côtes la nuit ou par temps de brouillard. Cook, qui avait emporté un exemplaire du chronomètre de Harrison pendant ses voyages, va cartographier le Pacifique avec précision.

? Le saviez-vous ?

Le naturaliste Joseph Banks, qui a fait partie de la première expédition Cook, se passionne pour les oiseaux, et particulièrement les perroquets de la Nouvelle-Zélande. Il explorera ensuite Botany Bay, en Australie, où il découvre des plantes inconnues comme l'eucalyptus et le mimosa. C'est sur cette île qu'il rencontrera un étrange animal sauteur, le kangourou, dont il offrira un spécimen à la France. Mais lorsque l'animal y est débarqué le 12 juillet 1789, soit deux jours avant la prise de la Bastille, les Français, trop occupés par la Révolution, ne lui accorderont aucune attention.

1770 : COOK DÉCOUVRE LES ABORIGÈNES, HABITANTS DE L'AUSTRALIE

« Les naturels ont des traits agréables et leur voix est douce et harmonieuse. Les hommes portent, passé à travers la paroi du nez, un os long de trois à quatre pouces et épais d'un doigt. Beaucoup d'entre eux se peignent le corps avec une espèce de pâte de couleur blanche, qu'ils appliquent de diverses manières, chacun suivant sa fantaisie. Ils vivent par petits groupes le long de la côte, ou sur les rives des lacs, des rivières, des criques, etc. Ils ne semblent pas avoir d'habitations fixes, mais se transportent d'endroit en endroit, comme des bêtes sauvages à la recherche de nourriture. Sur toute la surface de leur pays, nous n'avons vu nulle part un pouce de terre cultivée. Leurs maisons sont de misérables petits abris guère plus grands qu'un four, faits de branches, d'écorce, d'herbe, etc. », écrit James Cook dans *Relations de voyages autour du monde*.

1795-1830 Mungo Park et à la découverte

PARCOURS DU FLEUVE NIGER, TROISIÈME FLEUVE D'AFRIQUE PAR SA LONGUEUR

Le Niger, dont le tracé est longtemps resté une énigme pour les Européens, forme une boucle de 4 200 kilomètres. Il prend sa source à quelques centaines de kilomètres de la côte ouest de l'Afrique. Il coule d'abord vers le nord-est, puis, à partir de Tombouctou, vers l'est. Et, environ 2 000 kilomètres avant de se jeter dans l'Atlantique, il pique vers le sud. Le delta du Niger est formé d'une multitude de bras qui ressemblent à des rivières indépendantes. Au XIXe, il est nommé « les rivières de l'huile » parce qu'on y transporte l'huile de palme. C'est l'une des zones humides les plus vastes du monde, avec la plus grande forêt de mangroves d'Afrique. La faune et la flore y sont exceptionnelles.

les frères Lander du fleuve Niger

À partir du xvᵉ siècle, les Européens ont implanté des comptoirs commerciaux sur les côtes de l'Afrique. Mais c'est à la fin du xviiᵉ qu'ils décident de s'aventurer à l'intérieur du continent, qui demeure pour eux une terre inconnue. Poussés par la curiosité et aussi par la volonté de faire du commerce sans intermédiaires, les Européens, surtout les Britanniques, chargent des explorateurs de découvrir l'Afrique. Mungo Park, un médecin écossais, est de ceux-là. En 1795, il part reconnaître le Niger. Pour cela, il emprunte le chemin des caravanes, mais l'expédition tourne mal. Il perd ses bagages, puis il est capturé par des Maures, s'enfuit, survit seul dans le désert, mendie sa nourriture, avant d'être enfin secouru. S'il n'apporte pas beaucoup à la connaissance sur la géographie du Niger, il révèle les croyances religieuses, les structures familiales, l'organisation du travail des Mandingues, sans les juger. Il périt, à la suite d'une attaque, au cours d'un deuxième voyage. En 1827, un autre explorateur du Niger, l'Anglais Clapperton, mourra, lui, de dysenterie. C'est Richard Lander, son domestique, revenu avec son frère John pour reprendre l'expédition là où Clapperton l'avait laissée, qui percera en 1830 le secret du tracé du fleuve. Un exploit.

MARY KINGSLEY : 1893-1895

À l'âge de 30 ans, l'Anglaise Mary Kingsley se trouve pour la première fois libre de décider de sa vie. L'intrépide demoiselle part en Afrique équatoriale, remonte le fleuve Ogooué, tombe à l'eau à plusieurs reprises, et collectionne dans des bocaux d'alcool des spécimens de poissons inconnus qu'elle rapportera au British Museum de Londres. Elle fait l'ascension du mont Cameroun, au sommet duquel elle laisse sa carte de visite, coincée entre deux cailloux. Enfin, elle s'intéresse aux Fang du Gabon, dont elle essaie de comprendre la culture.

LE BAOBAB

Le Français Michel Adanson, premier naturaliste à visiter l'Afrique noire, découvre en 1749 un géant du règne végétal : le baobab. Le diamètre de son tronc peut atteindre 7 mètres. Les Africains emploient l'écorce du baobab pour fabriquer des talismans et pour soigner les fièvres. Ils utilisent ses feuilles séchées comme médicaments contre les infections intestinales, et aussi pour fabriquer de l'huile et du savon. Enfin, quand les vieux spécimens s'évident à l'intérieur, leur tronc sert de cercueil pour les artistes.

LE SOLITAIRE RENÉ CAILLIÉ FASCINÉ PAR LA MYSTÉRIEUSE TOMBOUCTOU : 1827-1828

À la lecture de *Voyage dans l'intérieur de l'Afrique* de Mungo Park, le Français René Caillié décide de partir découvrir la mythique cité de Tombouctou, interdite aux non-musulmans. Il entreprend son voyage sans argent ni soutien, pauvrement. Il s'arrête sur les rives du fleuve Sénégal, le temps d'apprendre des rudiments d'arabe, puis dissimule ses traits européens sous un burnous et se joint à une caravane de musulmans. Déçu par Tombouctou, dont il avait tant rêvé, il rentre en France, où il publie le récit de son voyage. René Caillié est exceptionnel par son obstination et son idéalisme.

LA ROYAL GEOGRAPHICAL SOCIETY

La Royal Geographical Society siège à Londres, dans une Grande-Bretagne qui est alors la première puissance mondiale. Héritière de l'African Association, qui subventionna les explorations de Mungo Park, elle est créée en 1830. Cette société savante se donne pour but l'avancement de la science géographique. Elle réunit des fonds et finance des explorations (Speke, Livingstone). Elle demande en échange de dresser des cartes, mais aussi d'observer le climat, la géologie, la faune et la flore des régions découvertes.

Parcours de Samuel et Florence Baker.

Les explorateurs doivent souvent suivre les mêmes pistes que les marchands d'esclaves. Livingstone dénoncera avec force la traite négrière. Des gouvernements d'Europe s'appuieront sur cette dénonciation pour intervenir en Afrique.

Parcours de Henry Stanley

Cours de John Speke

À la recherche des sources du Nil

1840-1889

Depuis l'Antiquité, les sources du Nil, le plus long fleuve d'Afrique avec ses 6 671 kilomètres, représentent une grande énigme géographique dont la résolution est difficile : il est impossible de remonter le fleuve, en raison des cataractes en amont d'Assouan. Au XIXe siècle, leur recherche entraînera les explorateurs vers les terres inconnues du centre de l'Afrique. En 1857, John Speke, un officier britannique, part de la côte de l'actuelle Tanzanie et découvre l'immense lac Victoria (de la taille de l'Irlande). Cet homme très discret a trouvé la source principale du Nil ! En 1864, l'Anglais Samuel Baker, imbu de supériorité, découvre le lac Albert, qui alimente aussi le Nil. Enfin, Henry Stanley, un journaliste anglo-américain, mû par l'esprit de conquête plus que par l'intérêt scientifique, découvre un troisième lac alimentant le Nil : le lac Édouard. Par une chaleur étouffante et en se déplaçant à travers une végétation dense, ces explorateurs ont mis au jour au cœur de l'Afrique le puzzle des lacs, sources du Nil.

LES BAGAGES DES EXPLORATEURS À DOS DE PORTEURS
Les bagages des explorateurs sont volumineux et pèsent lourd. Pour payer des droits de passage dans certaines régions, nos hommes emportent ballots de tissu, perles de verre, fil métallique, ivoire, armes à feu. Ils se munissent aussi de tentes, de matelas, de draps, de couvertures, de vaisselle, de moustiquaires, d'une malle à pharmacie, de chaussures de rechange et, bien sûr, de provisions de bouche : thé, café, conserves, biscuits, sucre. Ils n'oublient pas le papier et les crayons pour leurs notes, relevés et dessins, ni un thermomètre, un chronomètre, un cadran solaire, un sextant pour leurs mesures. Le pénible travail de portage de ces bagages est assumé par des Africains.

JOHANN KRAPF ET JOHANNES REBMANN : NEIGE EN AFRIQUE
Ces deux missionnaires allemands sont, en 1840, les premiers Européens à signaler les monts enneigés du Kenya et du , situés en Afrique équatoriale. Ce fait paraît tellement étonnant que les géographes britanniques ont du mal à les croire. Le Kilimandjaro, 5 893 mètres, dans l'actuelle Tanzanie, est le plus haut sommet d'Afrique. Le mont Kenya, dans l'actuel Kenya, culmine à 5 199 mètres. Tous deux sont couronnés de glaciers et de neige.

DAVID LIVINGSTONE (1813-1873)
Ce médecin missionnaire arrive en Afrique en 1840 dans le but d'évangéliser les régions inconnues. Ensuite, il devient aussi explorateur. Il découvre l'actuel lac Malawi, le lac Ngami, les impressionnantes chutes du Zambèze, et est le premier Européen à traverser le continent d'ouest en est. Il devient célèbre dès la parution de son premier récit de voyage, dans lequel il dénonce la traite négrière et porte un regard respectueux sur les Africains. En 1871, l'Occident est sans nouvelles de lui depuis deux ans. Stanley est envoyé à sa recherche par le journal *New York Herald*. Il a parcouru 3 000 kilomètres éprouvants quand, soudain, il rencontre un homme blanc. Il dit alors : « Docteur Livingstone, je présume ? » Et l'homme lui répond : « Oui. »

Zoom

Les explorateurs négligent le fait qu'ils voyagent dans une terre habitée, où les hommes ont depuis fort longtemps attribué des noms aux lieux. Ils rebaptisent les lacs, les fleuves ou les chutes d'eau qu'ils découvrent. Livingstone, par exemple, donne aux chutes du Zambèze le nom de chutes Victoria, en l'honneur de la reine d'Angleterre. Quant à Stanley, il baptise tout simplement Stanley Falls les rapides qu'il découvre sur le cours du Congo.

Scott et

Île de Georgie du Sud

EN 1914, SHACKLETON PART TRAVERSER LE CONTINENT ANTARCTIQUE

Avec son équipage, ils ne l'atteindront pas, mais dériveront pendant 20 mois à travers les glaces de la banquise, avant d'accoster à l'île de l'Eléphant. Leur navire est broyé, la situation est désespérée, personne ne les retrouvera. Mais Shackleton part chercher du secours, audace inouïe, sur l'île de Georgie du Sud. Il brave les dangers et, un an plus tard, réussit à ramener ses compagnons en Europe sains et saufs.

Île de l'Eléphant

LE FRANÇAIS ET LE *POURQUOI PAS ?* DE JEAN-BAPTISTE CHARCOT

Jean-Baptiste Charcot, médecin français, est un pionnier de l'exploration polaire française. À partir de 1903, ce passionné de mer se lance, à bord d'un trois-mâts (*Le Français* puis le *Pourquoi Pas ?*) transformé en navire polaire, dans des expéditions scientifiques vers les pôles. Dans des conditions de navigation très difficiles, de 1908 à 1910, il découvre la baie Marguerite et l'île Charcot, et, avec d'autres savants, étudie 2 000 kilomètres de côtes du pôle Sud. Leurs observations météorologiques, océanographiques, géographiques et paléontologiques sont d'une richesse exceptionnelle.

LE RAVITAILLEMENT

À l'intérieur du continent antarctique, il n'y a aucune ressource alimentaire. Les vivres emportés par les explorateurs sont choisis en fonction de leur poids et de leur conservation : du concentré sec de pemmican (une viande séchée mêlée à de la graisse), des biscuits, des flocons d'avoine, des conserves de viande et de légumes, du fromage, du chocolat et du sucre. Ils emportent aussi des réchauds et du pétrole. Au moment du grand départ, les vivres sont chargés sur les traîneaux. Quelques mois plus tôt, les explorateurs ont par ailleurs stocké des dépôts de vivres, à intervalles réguliers, sur l'itinéraire qu'ils ont choisi pour rejoindre le pôle.

Amundsen au pôle Sud

Au sud de la planète s'étend un grand continent, atteint pour la première fois en 1840 par Dumont d'Urville. Inhabité, cerné par la banquise et les icebergs, le pôle Sud est un désert de crevasses, de montagnes, de neige et de glace, battu par les tempêtes et où la température peut descendre à – 70 °C. Au début du xxᵉ siècle, trois hommes se lancent à la périlleuse conquête du pôle Sud géographique. En 1907-1909, après 1 300 kilomètres de marche éprouvante et le franchissement d'une barrière montagneuse, un marin irlandais, Ernest Shackleton, réussit à mener son expédition à 160 kilomètres du but. En 1901-1904, l'Anglais Robert Scott, capitaine de corvette, avait mené avant lui la première grande exploration scientifique de ce continent. Il repartira en 1911 pour atteindre le pôle géographique. Apprenant cela, le Norvégien Roald Amundsen, vétéran de l'Arctique, organise secrètement une expédition et fonce au pôle Sud. Il prendra un chemin plus court que Scott et bénéficiera d'un temps dégagé. En décembre, il plante le drapeau norvégien au pôle géographique et laisse une lettre à Scott, qui arrivera un mois plus tard. Scott et ses compagnons mourront dans le blizzard sur le chemin du retour.

TRANSPORT : CHIENS DE TRAÎNEAU

En 1909, pour transporter vivres et matériel, Shackleton choisit d'utiliser des poneys de Mandchourie : un poney tire 800 kilos tandis qu'un chien n'en tire que 50. Mais les poneys transpirent et, dans le blizzard, leurs poils se couvrent de glace, alors que les chiens supportent des températures allant jusqu'à – 40 °C. Les poneys ne résisteront pas. En 1911, Scott fait malgré cela la même erreur. Il partira avec des poneys et seulement quelques chiens. Très vite, ses hommes et lui doivent tirer eux-mêmes des charges de près de 500 kilos, ce qui les affaiblit. Quant à Amundsen, il part avec 52 chiens, et ne revient qu'avec 11. Il fait peu à peu dévorer les plus faibles par les autres.

LES MANCHOTS EMPEREURS
Les manchots empereurs viennent se reproduire sur la banquise en Antarctique. Ils vivent en colonies et s'isolent du froid grâce à quatre couches de plumes.

Zoom

LES BALEINIÈRES
Pendant des siècles, les hommes tuèrent des baleines, qui fournissaient du savon, de l'huile, des chandelles ou des cosmétiques. Les navires baleiniers chassèrent d'abord le long des côtes européennes, puis, avec la raréfaction des cétacés, jusqu'à l'Antarctique. Les périples duraient alors de deux à trois ans. La chasse au harpon était dangereuse à cause des terribles coups de queue de la baleine blessée, qui pouvaient mettre en pièces une chaloupe. À partir du xxᵉ siècle, avec la technique du canon lançant un obus-harpon, la baleine est tuée tout de suite, il n'y a donc plus de danger. Mais la chasse tourne à l'hécatombe. En 1986, un moratoire international interdit la chasse des grands cétacés.

Affronter

Les périls sur mer et sur terre doivent être régulièrement affrontés par les navigateurs. N'oublions pas qu'ils expérimentent des routes pour la première fois. En mer, s'il est impossible d'accoster pendant plusieurs mois, la famine sévit. Les marins qui s'aventurent sur des mers inconnues ne sont pas à l'abri des naufrages dus aux tempêtes ou aux écueils de la mer. Autour des pôles, ils ont vite fait d'être pris dans les glaces. À terre, les maladies déciment les équipages, notamment à cause de fièvres, de la dysenterie et du scorbut. Des maux que la médecine ne sait a priori pas soigner à cette époque. Et lors des premières rencontres avec les populations indigènes, les rapports sont parfois très violents et certains explorateurs y laissent la vie.

EX-VOTO ET PROMESSES POUR REMERCIER DIEU

Les églises et chapelles des côtes françaises se parent d'ex-voto : maquettes de trois-mâts suspendues, tableaux représentant un navire aux voiles déchirées, aux mâts brisés, cerné de déferlantes. Face à un naufrage qui paraît inéluctable et donc à une mort certaine, les marins catholiques prient. En dernier recours, ils demandent la protection de la Vierge en échange d'une promesse. Cette dernière peut être un pèlerinage, des dévotions, ou le don de la maquette du bateau qui aura échappé à la tempête. S'il s'en sort, le marin doit être loyal. Il accomplit sa promesse, qui est comme un contrat avec le Ciel, et il fait don de ces bateaux miniatures.

NARCISSE PELLETIER, LE RESCAPÉ SAUVAGE

En 1875, le capitaine du *John Bell* aborde au nord-est de l'Australie. Parmi les Aborigènes qui l'accueillent, il a la surprise de reconnaître un Européen paré d'un morceau d'os qui lui traverse le nez, de tatouages et de scarifications. Il découvre qu'il est français et que dix-sept ans plus tôt ce Narcisse Pelletier, alors âgé de 14 ans, naviguait sur un bateau qui fit naufrage. Il perdit conscience et fut abandonné par ses compagnons. Il fut alors adopté par les autochtones, des Aborigènes, qui lui apprirent à chasser, à pêcher, à guerroyer. Au point qu'il n'eut plus l'idée de fuir. En 1876, après son retour en France, où il retrouvera avec émotion sa famille, le rescapé Narcisse Pelletier livrera son témoignage.

les dangers en mer et à terre

Zoom

FIÈVRES TROPICALES

Les Européens ont longtemps redouté d'explorer l'intérieur du continent africain en raison des fièvres mortelles (fièvre jaune, malaria, typhoïde) que les Hommes pouvaient y contracter. Mais, à partir de 1860, la mise au point de la quinine (issue de l'écorce de quinquina, découvert en Amérique du Sud deux siècles plus tôt), médicament permettant de prévenir la malaria et de faire baisser la fièvre, améliore la situation. Malgré cela, dans les expéditions, les fièvres demeurent la première cause de décès.

Histoire

BÊTES SAUVAGES

En 1843, en Afrique australe, Livingstone accompagne des villageois pour chasser des lions qui attaquent et dévorent leur bétail. Livingstone aperçoit un fauve derrière un buisson et tire deux coups de son fusil. « Je vis le lion qui s'élançait sur moi. [...] Il me saisit à l'épaule et nous roulâmes ensemble. » Puis le lion s'effondre, mort. Livingstone est blessé, il a l'humérus écrasé et des traces de morsures. « J'en fus quitte pour une fausse articulation dans le bras gauche. »

LE NAUFRAGE DE LA PÉROUSE

En 1785, Louis XVI avait chargé La Pérouse, un excellent marin doté d'une solide culture scientifique, d'explorer le Pacifique. Accompagné de savants, La Pérouse mena un voyage fertile en découvertes géographiques et en informations scientifiques. Mais, à partir de 1788, la France ne reçut plus de nouvelles de lui. Alors on pensa qu'il avait sans doute disparu, mais on voulut comprendre ce qui s'était passé. À cette fin, de multiples expéditions furent menées. Grâce à ces recherches, on localisa et on retrouva l'épave du navire de La Pérouse. On découvrit qu'il avait fait naufrage sur les récifs de corail de Vanikoro, au nord des Nouvelles-Hébrides, et qu'ensuite son équipage et lui-même avaient été massacrés par des indigènes. Lors d'une fouille de l'épave, on retrouva une fourchette gravée, un sifflet de manœuvre, une ancre, un louis d'or.

À bord des navires, la vie est extrêmement dure. L'équipage, uniquement masculin, est dirigé par le commandant. La discipline est très stricte : en cas de vol, d'ivresse, de bagarres, d'indolence, il fait cingler les coups de fouet sur le dos des matelots. Pendant les longues traversées, les marins couchent dans l'entrepont, rapidement humide et insalubre. Les simples matelots n'ont qu'une seule chemise, refuge de vermines. De plus, ils mangent mal, car on ne sait pas bien conserver la nourriture : les biscuits de mer sont souvent pourris, les légumes secs, pois et fèves, sont vite habités par des vers. Reste le porc salé, qui se garde jusqu'à dix-huit mois. La question de l'eau potable est vitale. Elle se corrompt en peu de temps et prend un goût exécrable, si bien que les marins lui préfèrent le vin. Ils ont droit à deux litres par jour. À cet inconfort et à ce manque d'hygiène s'ajoutent les épreuves de la mer. Toutefois, les conditions de vie à bord s'améliorent au cours des siècles.

LA MUTINERIE DU *BOUNTY*

Fin 1787, le *Bounty*, navire anglais, appareille pour chercher des arbres à pain à Tahiti. De là, il doit les transporter à la Jamaïque, où la disette sévit parmi les esclaves. Ces arbres donnent un fruit comestible que l'on peut faire cuire comme du pain. En 1789, le *Bounty* quitte Tahiti, chargé de plus de 1 000 plants d'arbre à pain. Mais ces derniers consomment énormément d'eau. Le commandant du navire, très dur et brutal, rationne drastiquement l'eau pour l'équipage. Au milieu du Pacifique, l'un des officiers s'empare du navire. Il abandonne dans un canot le commandant et ses marins fidèles. Ils regagneront l'Angleterre par Timor, un exploit. Les mutins iront chercher des femmes à Tahiti et se réfugieront à Pitcairn, une île alors inconnue, où ils feront souche.

Zoom

LE SCORBUT : FLÉAU DES GENS DE MER

Jusqu'au XIXᵉ siècle, le scorbut est une maladie dévoreuse de marins. Lors du périple de Gama, en 1498, la moitié de l'équipage succombe à la maladie. Le matelot atteint par le scorbut perd l'usage de ses jambes, saigne, respire difficilement, puis meurt. Le scorbut est dû à une insuffisance en vitamine C, c'est-à-dire à un manque de fruits et légumes frais dans l'alimentation. On ne le comprendra qu'à la fin du XVIIIᵉ siècle. Cook, le premier, oblige ses marins à manger de la choucroute, des citrons, des oignons, pour prévenir la maladie. Mais il faut attendre encore un siècle pour que les fruits frais fassent leur apparition sur tous les navires.

La vie quotidienne
à bord des navires

LE *HOLLANDAIS VOLANT* (*FLYING DUTCHMAN*)
Les marins racontent souvent qu'ils ont croisé des navires fantômes, surnaturels et maléfiques, qui errent comme le *Flying Dutchman*, et ce, alors qu'ils n'ont pas bu de rhum. Hallucinations ou cauchemars ?

LES SIRÈNES, MYTHE OU RÉALITÉ ?
Depuis Ulysse, les sirènes, légendaires séductrices à la voix d'or, sont les ennemies des marins. Elles sont censées détenir le vent. Quand un Homme voit une sirène, la tempête arrive aussitôt. À leur retour au pays, les marins des grandes découvertes assurent qu'ils les ont entendues et vues : elles peignent leur longue chevelure en se regardant dans un miroir.

AU VILLAGE : L'ATTENTE
Quand les marins s'embarquent vers des horizons lointains et inconnus, la longue attente des femmes, mères, épouses, commence. En l'absence du mari, les mères s'occupent seules de l'éducation des enfants et, le plus souvent, elles voient partir leurs fils, qui, dès 12 ans, suivent leur père. En Bretagne, au XIXᵉ, un mélange de foi chrétienne et de superstition les soutient. Elles balayent l'église en répétant : « Tourne, vent, tourne, girouette, suis la poussière que je te jette. » Formule magique pour essayer de faire revenir les Hommes. L'attente est parfois vaine, sinon elle est récompensée par les retrouvailles.

Rencontres

Quand ils voyagent seuls, les explorateurs nouent des relations plutôt égalitaires avec les indigènes. D'ailleurs, ils ont besoin d'eux pour parer aux éventuels dangers qui les guettent et pour survivre, tout simplement. De même, à partir de la seconde moitié du XVIIIᵉ, les voyageurs savants se montrent curieux de comprendre les modes de vie des peuples rencontrés. En revanche, les Hommes des grandes découvertes imposent leur loi dans les relations avec les indigènes. Personne ne les empêche de débarquer ou d'avancer. Si nécessaire, ils utilisent les armes à feu. De toute façon, là où ils arrivent, ils s'empressent d'ériger une grande croix, et aussi le drapeau de leur roi. Ils ouvrent la voie à la conquête. De leur côté, le plus souvent, les indigènes, sidérés par ces arrivées inattendues, l'apparence et la manière d'être des Européens, par leur démarche de découverte aussi, ne s'opposent pas à eux. Mais il arrive que, devant la menace, certains peuples se montrent d'emblée hostiles.

ENLÈVEMENTS

Colomb est le premier à arracher des Indiens à leur terre natale et à les ramener en Europe. D'autres explorateurs feront de même et ramèneront des indigènes comme preuve de la destination atteinte, sans se soucier de leur avenir. Le Français Bougainville n'agit pas comme eux. Au terme d'une expédition qui court de 1766 à 1769, l'explorateur accepte la demande d'Aotourou, un jeune Tahitien, d'être amené en France. Aotourou est présenté au roi, interrogé par les savants, adoré par les gens à la mode. Mais il s'ennuie de ses proches. Bougainville dépensera une partie de sa fortune pour qu'il rentre à Tahiti.

avec les peuples indigènes

MÉTISSAGES EN AMÉRIQUE LATINE

Au XVIe siècle, des conquistadors s'unissent à des princesses indiennes. Tout d'abord, les expéditions sont uniquement composées d'hommes. Ensuite, par ces unions, les conquistadors cherchent à gagner du prestige auprès des Indiens. De ces unions naîtront les premiers enfants métis du continent latino-américain. Le plus célèbre, Garcilaso de la Vega, est le fils d'une princesse péruvienne et d'un conquistador issu d'une famille noble espagnole. En 1559, à 20 ans, il quitte le Pérou et s'installe en Espagne. Il y écrit l'histoire des Incas des Andes, permettant une reconnaissance des vaincus. Son écriture est une arme aussi puissante qu'un canon.

L'ARCHIPEL DES ÎLES SALOMON : ÎLES AU TRÉSOR ?

Au XVIe siècle, les Espagnols cherchent à localiser les mystérieuses mines d'or du roi Salomon, évoquées dans la Bible. En 1568, l'explorateur Mendaña aborde des îles inconnues, où il ne trouve pas d'or, mais des forêts impénétrables et des populations très hostiles. Au retour, il racontera qu'il a découvert les fabuleuses mines d'or du roi Salomon et on le croira. Il ment pour obtenir le financement d'une deuxième expédition. En attendant, il donne à ces îles le nom du roi Salomon. Quelques siècles plus tard, l'écrivain Jack London les appellera les « terribilissimes » îles Salomon, parce qu'une foule de maladies s'y donnent rendez-vous et que les indigènes y ont la manie de collectionner les têtes de leurs semblables.

Les grandes découvertes de la fin du xvᵉ et du début du xvlᵉ siècle se traduisent rapidement pour l'Europe par l'essor du commerce transatlantique, la naissance du capitalisme marchand et la conquête des Nouveaux Mondes. Les grands explorateurs sont des Européens. Qu'ils en aient été conscients ou non, la plupart d'entre eux ont ouvert la voie à un bouleversement du monde et à la domination de l'Europe chrétienne sur la planète. À la suite des explorateurs, l'Europe répand tout d'abord ses techniques, ses langues, sa religion, ses valeurs, ses Hommes vers les pays « neufs », par la force, les armes le plus souvent. Puis, pendant une centaine d'années, à partir des années 1850, elle conquiert totalement le monde, colonisant aussi l'Afrique et l'Asie. Les Européens ne sont alors pas trop regardants quant au sort des populations qu'ils asservissent.

GREC ET INDIEN : L'ART DU GANDHARA

À la suite de l'expédition d'Alexandre le Grand, au nord-ouest du Pakistan et au sud de l'Afghanistan actuels s'épanouit un art né de la rencontre des cultures grecque et indienne. Il se caractérise par les premières représentations, sous forme de statues, du corps de Bouddha, dont le visage emprunte les traits du dieu grec Apollon. Auparavant, en Inde, Bouddha était figuré par des symboles : parasol, lotus, roue.

CABINETS DE CURIOSITÉS

À partir du xvlᵉ siècle, des cabinets de curiosités, ancêtres des musées, sont créés dans les villes d'Europe. Ce sont des lieux clos aménagés pour rassembler des curiosités naturelles ou artificielles venant de régions lointaines, aux confins du monde connu. Ils présentent des raretés exotiques : des coquillages, des minéraux, des fossiles, des coraux, des fleurs, des fruits, des animaux naturalisés, des costumes, des armes et des outils d'indigènes. Au xvIIIᵉ siècle, une spécialisation commence à s'établir avec des cabinets d'histoire naturelle dont la vocation est l'étude des mondes animal et végétal. Ces cabinets attisent la curiosité et l'appétit de nouvelles connaissances.

Les découvertes changent le monde

41

QUAND *DON QUICHOTTE* S'IMPRIME EN AMÉRIQUE

Don Quichotte, roman de l'écrivain espagnol Cervantès (1547-1616), évoque l'histoire d'un Homme qui adore les livres de chevalerie et qui part à l'aventure vérifier si ce qu'ils racontent est vrai. En 1605, les librairies espagnoles envoient ce roman à Lima, au Pérou. Soixante-dix exemplaires y parviennent. La société des métis, des commerçants et des prêtres espagnols le lit avec grand intérêt. Bientôt des imprimeries sont créées sur le Nouveau Continent et éditent sur place *Don Quichotte*, et aussi les *Fables d'Ésope*, une grammaire latine, puis bien d'autres ouvrages européens.

LES COMPAGNIES DES INDES

En 1664, après les Anglais et les Hollandais, les Français fondent une Compagnie des Indes spécialisée dans le commerce vers les contrées lointaines. Basée à Lorient, en Bretagne, elle fonctionne jusqu'en 1793. Ces compagnies créent de vastes échanges commerciaux entre l'Europe, l'Asie, l'Afrique et l'Amérique. La Compagnie française des Indes importe du café, du thé, des plantes médicinales et aussi de la porcelaine et de la soie chinoises.

PENDANT UN SIÈCLE, L'OR DE L'AMÉRIQUE PASSE À SÉVILLE

Au cours du XVIe siècle, des dizaines et des dizaines de tonnes d'or, puis d'argent, arrachées aux Indiens des Antilles, du Pérou, de Bolivie, du Mexique, territoires du Nouveau Monde, sont débarquées en Espagne, à Séville. Les métaux précieux dynamisent d'abord l'économie de l'Espagne, puis celle de toute l'Europe. À Séville, les riches marchands dépensent sans compter. Ils font bâtir des palais éblouissants et de magnifiques couvents et autres édifices religieux. La rencontre de la prospérité exceptionnelle de Séville et de peintres, tels Vélasquez ou Murillo, fait de la capitale andalouse un grand foyer artistique.

Les plantes

Les grands explorateurs (Colomb, mais aussi Cook, La Pérouse, Nicolas Baudin) et les naturalistes (Adanson, Commerson, Banks, Humboldt et Bonpland, Joseph de Jussieu, le père Plumier, Charles Darwin) découvrent et rapportent de nouvelles espèces de graines et de plantes en Europe. Dès le XVIe siècle, certaines commencent à s'y acclimater. Du continent américain, les explorateurs rapportent la pomme de terre, le maïs, la tomate, la vanille, l'ananas, l'arachide, la noix de cajou, le cacao, les piments, l'avocat, le fruit de la passion, mais aussi le tabac, le caoutchouc, ainsi qu'une teinture rouge carmin donnée par la cochenille (un insecte), et la dinde, le cochon d'Inde. D'Australie, ils font venir le mimosa, l'eucalyptus. Sur le Nouveau Continent, les Européens introduisent le cheval, le mouton, le poulet, le porc, le blé, le riz, la canne à sucre. Un immense brassage.

Economisons le pain en mangeant des pommes de terre
Ville de Paris école communale Yvonne Vanu

PAPA OU LA POMME DE TERRE

La pomme de terre est appelée *papa* par les Indiens du Pérou, qui la cultivent depuis des siècles au moment de l'arrivée des Européens. Cette plante très nutritive, riche en calcium et en vitamines, est introduite en Europe au XVIe siècle. Mais, en France, le tubercule – et cela alors que la population souffre de famine – est longtemps réservé au bétail. Il faut attendre la veille de la Révolution française pour que Parmentier convainque les Français de ses bienfaits alimentaires.

CAFÉ OU VERRE D'EAU

Le café est le fruit d'un arbuste appelé caféier, originaire du Moyen-Orient. Au XVIIe siècle, les Hollandais le font cultiver en Indonésie et en offrent des plants à Louis XIV, mais le climat de la France oblige à les garder sous serre. C'est là que le botaniste Antoine de Jussieu les décrit avec précision. Puis il confie à un certain Desclieux le soin d'en transporter trois plants à la Martinique. Mais, faute de vent, la traversée se prolonge et l'équipage est rationné à un seul verre d'eau par jour. Tout occupé à sa mission, Desclieux partage le sien avec les trois caféiers. Un seul plant, toutefois, arrive vivant. Des Antilles, où il fera souche, le caféier voyagera ensuite en Amérique centrale, puis au Brésil.

et les animaux d'élevage traversent les continents

LES DÉLICES DU CHOCOLAT

Le cacao vient du cacaoyer, cultivé depuis le VIe siècle en Amérique centrale. Les Aztèques en font une boisson à laquelle ils attribuent un rôle divin et qu'ils consomment exceptionnellement.

Dès le XVIe siècle, au Mexique, les Espagnols dégustent cette délicieuse boisson qu'ils aromatisent de vanille. Puis le chocolat gagne la cour d'Espagne et celle de Versailles, où son goût et ses vertus euphorisantes créent un engouement. La première chocolaterie industrielle française ouvre ses portes en 1770. Puis le Français Menier met au point la tablette de chocolat, et enfin Nestlé, en Suisse, lance le chocolat au lait en 1867.

LE POP-CORN : UNE TROUVAILLE AMÉRICAINE

Au moment de l'arrivée des Européens, le maïs, cultivé depuis plus d'un millénaire sur une partie du continent américain, particulièrement au Mexique, représente l'aliment de base pour des millions d'Indiens. Les Iroquois ont inventé une recette originale. Ils font chauffer du sable dans un pot en terre. Ensuite, ils mélangent le maïs au sable brûlant jusqu'à ce que les grains de maïs éclatent, inventant ainsi le pop-corn.

ACCLIMATATION À LA BOUGAINVILLE

Quand, en 1767, les 400 hommes de l'équipage de Bougainville font escale à Tahiti, les îliens leur offrent en abondance de l'eau, du bois, des bananes, des noix de coco, des poules, des cochons, des poissons. L'explorateur, de son côté, donne aux Tahitiens un couple de dindes et de canards, mâles et femelles. Il fait entourer un terrain au sol fertile de palissades et le transforme en jardin à l'européenne. Il y fait semer du blé, de l'orge, de l'avoine, du riz, du maïs, des oignons et des graines potagères, toutes variétés jusqu'alors inconnues dans le Pacifique.

Les cartes de la Terre

Pendant l'Antiquité, l'astronome grec Ératosthène, ayant admis que la Terre était sphérique, calcula sa circonférence avec précision. Puis le géographe Ptolémée réalisa une carte du monde représentant avec assez d'exactitude l'Europe, une partie de l'Asie du Sud et l'Afrique du Nord. L'océan Indien était fermé, et, au sud de l'équateur, l'Afrique était reliée à l'Asie par l'est. En Europe, on en resta là pendant tout le Moyen Âge. À partir du XVᵉ siècle, avec les navigations océaniques, la représentation géographique de la Terre se rapproche peu à peu de la réalité. À l'idée d'une Terre formée aux six septièmes de terres ininterrompues, la connaissance expérimentale par les voyages et les relevés substitue celle d'une Terre dont la surface est aux deux tiers recouverte d'océans reliés entre eux. Au fur et à mesure des explorations, les contours des continents se précisent, leurs lacs, leurs cours d'eau, leurs reliefs, leurs ressources se dessinent sur les cartes. Enfin, le recours à la latitude et à la longitude facilite l'exactitude dans l'enregistrement des données. Au XXᵉ siècle, pour la première fois depuis les débuts de l'humanité, les Hommes disposent d'une représentation exacte de la planète.

GREENWICH : LE MÉRIDIEN ORIGINE

Les latitudes sont établies par rapport à l'équateur, à mi-chemin entre les pôles. L'équateur est politiquement neutre. Mais le choix du méridien origine, celui qui sert de référence pour le calcul de la longitude, ne fut pas facile à faire, uniquement pour des raisons politiques. Au XIXᵉ siècle, les Français veulent qu'il passe par Paris ; les Espagnols, par Tenerife ; les Américains, par Washington ; les Anglais, par Greenwich, site de l'Observatoire royal, près de Londres. En 1884, une conférence internationale adopte le méridien passant par Greenwich comme méridien origine pour déterminer l'heure et la longitude. La Grande-Bretagne est alors la plus grande puissance mondiale.

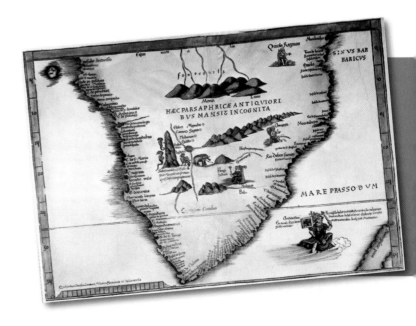

TYPVS ORBIS TERRARVM

ABRAHAM ORTELIUS :
L'ESPACE MONDIAL À LA PORTÉE DE TOUS

Abraham Ortelius (1527-1598), d'Anvers, éditera en 1570 le premier atlas moderne, mettant ainsi les découvertes de Colomb, Vespucci, Magellan et autres explorateurs à la portée de tous. L'ouvrage comprend plusieurs cartes du monde de même format, agrémentées de commentaires : une de chacun des continents connus et celles des pays et régions identifiés. Il n'oublie pas de citer les noms des cartographes qui les ont établies. Son atlas connaît un succès immédiat. En effet, les Hommes vont pouvoir voyager avec la toute dernière représentation du monde.

LES VOYAGES EXTRAORDINAIRES
DE JULES VERNE

À partir de la fin du XIXe siècle, en compagnie de l'écrivain français Jules Verne (1828-1905), à l'esprit remarquablement imaginatif et romanesque, les enfants vont parcourir le monde. *Les Aventures du capitaine Hatteras* les transportent au pôle Nord, *La Jaganda* les emmène sur les bords de l'Amazone, *L'Île à hélice*, dans le Pacifique, *La Maison à vapeur*, en Inde. Les romans d'aventures de Jules Verne répandent avec enthousiasme les nouveaux savoirs de la géographie et amènent les jeunes lecteurs à reconnaître d'autres peuples. Jules Verne, qui a été traduit dans le monde entier, avoue que la géographie est sa passion et son principal objet d'études.

LES ESPACES BLANCS SUR LES CARTES

Encore au XIXe siècle, quand des pays sont inconnus des Européens (par exemple en Afrique), les éditeurs de cartes procèdent de deux manières. Soit ils laissent un espace blanc à la place de la région sur laquelle ils n'ont aucune information. Elle représente, dans l'imaginaire, une zone mystérieuse qui incite au rêve de découverte. Soit ils font dessiner des éléphants, des lions ou des « sauvages » sur les espaces vierges d'exploration.

LA GÉOGRAPHIE ARABE

La géographie a joué un rôle capital dans la culture musulmane médiévale. Les fonctionnaires des califes de Bagdad avaient besoin de descriptions précises des provinces, d'informations sur les distances entre les villes, l'état des routes, les richesses. C'est pourquoi ils enverront des géographes en expédition. Ces savants musulmans prendront en compte les connaissances géographiques déjà établies dans l'Antiquité grecque, perse et indienne. Au Xe siècle, Ibn Hawqal, un marchand, voyage dans le monde musulman. Pendant trente ans, il visite l'Afrique du Nord, l'Espagne, la Sicile, l'Égypte, l'Arménie, l'Azerbaïdjan, l'Irak, la haute Mésopotamie, le Khuzistan, la Perse, le Khorasan et la Transoxiane. Puis, à partir de cette expérience, il rédige une œuvre géographique immense.

Un apport

Les grandes découvertes font affluer de toutes les régions du monde une variété extraordinaire de plantes, d'animaux et de minéraux inconnus. Portés par cet élan, les botanistes européens s'intéressent avec enthousiasme aux êtres vivants de leur territoire. À partir du milieu du XVIIIe siècle, ce mouvement entraîne une révolution de l'histoire naturelle, la précipitant dans la modernité. Tout d'abord, le Suédois Linné met au point une façon de nommer les êtres vivants qui permet d'en dresser un inventaire facile à utiliser. Puis les Jussieu proposent un système de classement. Ensuite, au XIXe siècle, notamment à partir de l'étude de fossiles, Darwin démontre que les espèces ont évolué progressivement au cours du temps. Darwin inaugure la biologie moderne. La géographie botanique apparaît aussi. Elle observe comment les espèces se répartissent à la surface du globe, en fonction de la nature du sol et du climat. Enfin, le terme « écologie » est créé afin de définir les rapports de l'être vivant et de son milieu.

EXPÉRIMENTATION DE CHARLES DARWIN (1809-1882)

Dans son livre *De l'origine des espèces* (1859), le naturaliste Charles Darwin prouve le processus de la dispersion naturelle des plantes par des faits précis. Il a ainsi expérimenté la survie de graines dans l'eau de mer. Sur 87 sortes, il découvre que 64 peuvent germer après une immersion de 28 jours. Puis il fait sécher des plantes et observe que 19 d'entre elles sur 94 flottent encore sur l'eau de mer après 28 jours. Il conclut que 14 plantes sur 100 peuvent être entraînées par les courants marins pendant 28 jours en ayant encore la faculté de germer. En tenant compte de la vitesse moyenne des courants, il énonce qu'elles peuvent parcourir 1 000 kilomètres.

scientifique
phénoménal

LE CURARE : POISON OU MÉDICAMENT ?

En Amazonie, située en Amérique du Sud, les Européens découvrent que, pour chasser, les Indiens enduisent la pointe de leurs flèches d'une substance, le curare, qui paralyse leurs proies. Ce poison d'origine végétale est utilisé à l'heure actuelle en France pour les opérations chirurgicales. L'anesthésiste injecte au patient des substances dérivées du curare pour atténuer les convulsions des muscles pendant l'opération.

LE PÈRE DE L'ENTOMOLOGIE MODERNE
HONORÉ DEPUIS 100 ANS AU JAPON

Jean Henri Fabre (1823-1915) décrit la vie et les mœurs des insectes. C'est en Provence qu'il accumule ses observations. Il est le premier à s'intéresser aux systèmes de communication dans la nature. Comment, par exemple, une femelle papillon vivant seule sur un chou peut-elle rencontrer un mâle ? Fabre découvre qu'à cette fin, elle émet une odeur extraordinairement attractive, qui peut être sentie par un papillon à plusieurs kilomètres de distance. Jean Henri Fabre ne voyage pas, mais ses écrits sont traduits et réédités jusqu'à nos jours en Russie, aux États-Unis et surtout au Japon, où il est célèbre.

LE JARDIN DES PLANTES

En 1635, le roi de France fait installer un Jardin royal des plantes, qui a pour vocation l'enseignement, les visites de curiosité et la recherche savante. Toutes les productions de la nature rapportées entre autres par les voyageurs naturalistes y sont étudiées, les végétaux exotiques y sont acclimatés. En 1793, le Jardin des Plantes est transformé en Muséum national d'histoire naturelle et, un an plus tard, une ménagerie est créée. À l'heure actuelle, le Muséum poursuit son œuvre de recherche et de réflexion. La galerie de l'Évolution (plus de 600 000 visiteurs par an) et celle de Paléontologie reçoivent les visiteurs, ainsi que le jardin et la ménagerie. En 2005, un bébé orang-outan y est né.

Le travail

Les grands explorateurs ont souvent raconté leurs voyages dans des livres ou des correspondances. Cette somme d'informations apporte à la connaissance des historiens, mais, pour bien comprendre les raisons qui ont poussé les Hommes à partir à l'aventure, il est important de savoir dans quelle société ils vivaient. Ensuite, vient l'envie de connaître ce qui s'est passé après les découvertes, si elles ont changé notre compréhension du monde ou non. Les historiens font ce travail de collecte d'informations. Tout comme des enquêteurs, ils recherchent d'abord toutes les traces et les témoignages réunis autour de chaque événement. Ensuite ils essaient de comprendre ce qui s'est réellement passé, en tenant compte du lieu et de l'époque, en replaçant l'événement dans son contexte. Enfin, ils restituent les résultats de leurs recherches pour les transmettre au public. Les historiens tentent de le faire sans porter de jugement. Ce qui les intéresse, c'est en premier lieu la vérité historique.

UNE TROUVAILLE INATTENDUE QUI PERMET DE MIEUX COMPRENDRE L'HISTOIRE

En 1908, un grand connaisseur de la Chine, le Français Paul Pelliot, explore l'oasis de Dunhuang, à l'abandon après une lointaine période de richesse au Moyen Âge. Là, dans une petite grotte, il découvre des dizaines de milliers de rouleaux et de feuillets manuscrits, écrits en chinois, en tibétain, en ouïgour et en sanscrit : des textes sur l'histoire, les coutumes, la littérature, l'art, les mathématiques, la médecine, datant du VIIIe au Xe siècle. Ils avaient été cachés et murés au XIe siècle. Pelliot rapportera en France les manuscrits, qui apporteront de nouveaux éléments pour comprendre l'histoire de la Chine médiévale.

HISPANIOLA : UNE ÎLE, DEUX DESTINS

Hispaniola, île sur laquelle Colomb débarqua en 1492, fut vite colonisée. Après l'élimination des Indiens (maladies et violences), des esclaves venus d'Afrique viendront travailler dans ses plantations. En 1843, l'île est partagée entre la République dominicaine et Haïti. Aujourd'hui, Haïti est l'un des pays les plus pauvres du monde, alors que la République dominicaine est relativement prospère. Pourquoi cet écart ? Certainement pas à cause de l'environnement, qui, en 1843, était identique sur les deux parties de l'île, nous explique l'Américain Jared Diamond. Ce dernier avance que c'est l'action des Hommes qui est en cause. Haïti, obsédé par le souvenir de l'esclavage, a interdit aux étrangers l'accès aux postes de responsables dans l'agriculture ou l'industrie, quand la République dominicaine a accueilli des immigrants qui ont apporté avec eux des idées et des techniques nouvelles.

des historiens

49

ERREUR SUR LES INDIENS CHEYENNES

Si nous croyons que les Cheyennes ont toujours été de grands chasseurs de bisons dans les plaines du Dakota, nous nous trompons. Auparavant, ils cultivaient des haricots et du maïs, loin du Dakota, dans la région des Grands Lacs. Ils étaient agriculteurs et vivaient dans de longues maisons. Mais ils ont été repoussés par d'autres tribus indiennes et ont dû changer de région. Dans le Dakota, les Cheyennes se sont adaptés à leur nouveau lieu de vie, ils sont devenus nomades et ont appris à chasser les bisons. C'est ce que Philippe Jacquin (1942-2002), historien et anthropologue, spécialiste des Indiens d'Amérique du Nord, a mis en lumière à la suite de ses recherches.

DIFFICULTÉS : L'ÉCRITURE DU MEXIQUE ANCIEN

Depuis le XVIᵉ siècle, les Européens cherchaient à comprendre l'écriture du Mexique ancien, sans y parvenir. Christian Duverger, spécialiste de l'histoire du Mexique ancien, explique aujourd'hui que les signes de cette écriture représentent une idée ou une chose. Par exemple, le mot « ville » est représenté par un dessin en forme de cloche. Pour « la conquête d'une ville », on trouve le dessin en forme de cloche transpercé d'une flèche ou accompagné d'un temple en feu. Le feu peut être symbolisé par des flammes ou par le chiffre 3. Ces changements de forme pour écrire la même chose ont longtemps égaré les historiens.

Du xve au xxe siècle, les explorateurs sont frappés par la façon de vivre des indigènes, qui leur est totalement étrangère. Ils les voient comme des populations primitives et exotiques, si bien que les descriptions qu'ils en font à leur retour en Europe sont la plupart du temps loin de la réalité, qui, elle, est plus complexe. L'essentiel de la culture des indigènes échappe aux Européens. À partir des récits des explorateurs, les gens rêvent de ces nouveaux peuples découverts, se demandant par exemple s'ils sont dotés de bonté naturelle ou non. Mais une fois passée l'exploration, vient l'étape de la conquête. Les populations indigènes la paient cher : massacres, épidémies, travail forcé ou esclavage. Elles doivent se soumettre ou disparaître. Au contact des Blancs, leur culture, leur manière de vivre, s'efface peu à peu. Depuis le xxe siècle, les révoltes et les demandes des Indiens d'Amérique ou des Aborigènes d'Australie d'être reconnus comme des peuples autochtones sont mieux entendues.

L'EAU DE FEU : UNE ARME À RETARDEMENT

Les Européens qui s'installent en Amérique, en Australie ou en Océanie considèrent les indigènes comme des populations arriérées, sauvages. Ils les soumettent à leurs valeurs, les chassent de leurs territoires. Quand ils le peuvent, les indigènes se rebellent, résistent ou s'échappent toujours plus loin dans l'intérieur des terres. Pour ceux qui ne peuvent pas s'enfuir, le choc est si brutal que certains d'entre eux essaient de tout oublier en buvant de l'alcool.

Le saviez-vous ?

En Amérique du Nord, dans la seconde moitié du xxe siècle, les Indiens réclament que soit corrigée l'erreur de Colomb, qui, croyant débarquer aux Indes, avait appelé Indiens les habitants du Nouveau Monde. Les premiers Américains ne sont plus désignés par le terme « Indiens », mais par celui d'« Amérindiens » au Canada et par ceux de *Native Americans* aux États-Unis. De même, les Lakotas, qui furent appelés Sioux par les Européens, reprennent leur nom d'origine.

Quand les indigènes et l'Homme blanc se rencontrent

SITTING BULL (1834-1890) : CHEF INDIEN DE LA TRIBU DES SIOUX

Ce chef indien sioux était réputé parmi les siens pour son courage et sa sagesse. Quand les Américains, à la recherche d'or, envahissent les terres de son peuple, bafouant les droits des Indiens, protégés par un traité, il dirige le soulèvement de Little Big Horn contre le général Custer. La bataille se solde par la victoire indienne. Obligé de se rendre quelques années plus tard avec son peuple, Sitting Bull est conduit dans une réserve dépourvue de richesses naturelles et placée sous le contrôle de l'armée. Pour échapper à l'ennui de la vie dans ce lieu clos, il participe au grand spectacle de Buffalo Bill, « L'Ouest sauvage ». Dans ce spectacle, il y a des rodéos et des combats avec de vrais Indiens.

Un seul monde

De mai 1931 à février 1933, pendant presque deux ans, l'écrivain français Michel Leiris a participé à une mission ethnographique qui a traversé l'Afrique de Dakar, à l'ouest, à Djibouti, à l'est. « De fil en aiguille, écrit-il, et à mesure que je m'accoutumais à ce milieu nouveau, je cessai de regarder les Africains sous l'angle de l'exotisme, finissant par être plus attentif à ce qui les rapprochait des hommes des autres pays qu'aux traits culturels plus ou moins pittoresques qui les en différenciaient. » C'est une démarche identique à celle de Michel Leiris qui nous conduit aujourd'hui à considérer que les 6 à 7 milliards d'êtres humains qui peuplent la Terre représentent une vaste communauté : l'humanité.

LES INDIENS SIOUX LAKOTAS ROMPENT LE TRAITÉ
En décembre 2007, des représentants des Indiens Lakotas – les Sioux qui, avec Sitting Bull, avaient infligé une défaite à l'armée américaine à Little Big Horn, dans le Montana – se révoltent. Ils annoncent qu'ils considèrent que les traités signés il y a plus de 150 ans par leurs ancêtres avec le gouvernement américain d'alors sont des documents sans valeur. Aujourd'hui, ils ne se considèrent plus comme des citoyens des États-Unis. À ceux d'entre eux qui renoncent à la nationalité américaine, ils veulent donner des passeports et des permis de conduire lakotas.

TÊTE D'UN MAORI : 132 ANS POUR RETROUVER LA NOUVELLE-ZÉLANDE

Les Maoris, habitants indigènes de la Nouvelle-Zélande, sont les inventeurs du tatouage sur le visage. Leurs guerriers étaient tatoués de dessins avec des courbes représentant leur pouvoir et leur clan. En 1875, la tête tatouée et momifiée d'un guerrier maori est léguée (on ne sait pas comment le donateur l'avait acquise) au muséum d'Histoire naturelle de Rouen, en France. À l'automne 2007, à la demande du gouvernement néo-zélandais, la ville de Rouen décide de la restituer. Après le retour en Nouvelle-Zélande de la tête de ce Maori, des recherches seront effectuées pour connaître précisément sa région d'origine et lui donner une sépulture digne d'un être humain.

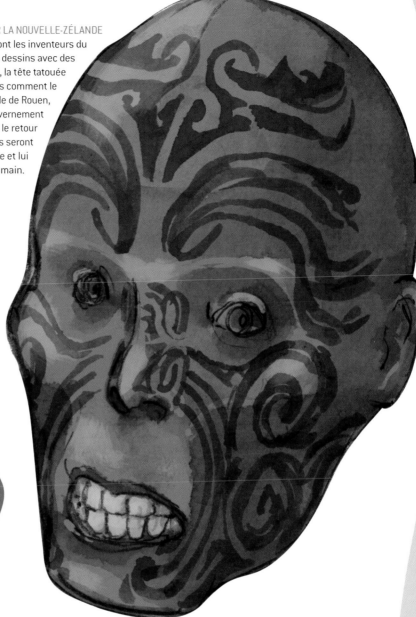

L'ART DE LA PAROLE

Si l'Afrique n'a pas eu d'écriture, elle a eu une très longue histoire et des cultures différentes. Pendant des siècles, de génération en génération, des Hommes dotés d'une prodigieuse mémoire ont transmis oralement aux plus jeunes les contes, les poèmes, les récits chevaleresques, les fables, les mythes, les devinettes. L'écrivain Amadou Hampâté Bâ, né au Mali en 1900 et mort en Côte-d'Ivoire en 1991, a écrit un nombre considérable de contes et de légendes qu'il avait entendus dans sa famille quand il était enfant. Ainsi, il a sauvegardé des étagères entières de l'immense bibliothèque orale africaine.

LES INUITS RÉPARTIS DE L'ALASKA À LA SIBÉRIE

Knud Rasmussen (1879-1933), dont la mère était une Esquimau du Groenland, a mené les premières expéditions pour étudier la manière de vivre des Esquimaux avant qu'il n'y ait un changement au contact des Blancs : pêche, chasse, construction de tentes en peau de morse, kayaks, traîneau à chiens. Il sera suivi par d'autres, qui montreront comment les Hommes du froid se sont adaptés aux conditions de vie les plus extrêmes de la planète. Les Esquimaux découvriront alors leur histoire. Ils se rendront aussi compte que, de l'Alaska à la Sibérie, ils forment un même peuple. Ils choisiront d'êtres appelés Inuits, qui signifie « les Hommes », et non plus Esquimaux, qui veut dire « mangeurs de viande crue ». Ils se grouperont pour représenter leurs intérêts auprès des gouvernements.

L'Homme

Au début du XXIe siècle, la Terre semble connue, mais l'exploration ne signifie pas nécessairement découvrir de nouveaux lieux, de nouveaux peuples. En réalité, des centaines d'espèces nouvelles sont identifiées chaque année, sans compter celles qui peuplent le fond des cavernes ou des mers. L'inventaire des êtres vivants et la connaissance de leurs comportements se poursuivent. Les missions essentiellement scientifiques ont changé de nature. Les expéditions internationales courtes et répétées sont menées par des équipes avec des spécialistes dans différentes disciplines. En ce moment, le Muséum d'histoire naturelle fait des voyages d'étude pour inventorier la faune et la flore en Nouvelle-Calédonie. L'exploration océanographique (les océans représentent 71 % de la surface de la planète) n'en est, elle, qu'à ses débuts. L'Homme continue à explorer la Terre, en portant un autre regard sur elle. Le désir de découvertes, la curiosité de l'inconnu restent ancrés dans l'esprit contemporain.

L'EXTRAORDINAIRE EXPLORATION DES PROFONDEURS SOUS-MARINES

En 1960, avec deux hommes à son bord, un engin descend dans la fosse des Mariannes, à 10 916 mètres, le point le plus profond des mers du globe. Dans la lumière d'un projecteur, un poisson plat nage devant le hublot : preuve que la vie existe dans les abysses. Cet exploit est possible grâce au bathyscaphe mis au point par le physicien Auguste Piccard, un appareil de plongée qui résiste à la gigantesque pression qui s'exerce dans cette grande profondeur sous-marine. À 10 916 mètres, elle est de 1 tonne par centimètre carré, comme si une masse de 1 000 kilos reposait sur chaque petite surface (la taille d'un ongle) du corps humain.

LA CROISIÈRE NOIRE DE CITROËN (1924-1925) : EXPLORATION AUTOMOBILE ET FILMS DOCUMENTAIRES

André Citroën crée la marque automobile qui porte son nom en 1919. Pour la faire connaître dans le monde entier, le constructeur organise une audacieuse expédition : 8 autochenilles reliant l'Afrique du Nord à l'océan Indien. L'aventure se double d'une exploration scientifique. Mais la grande et nouvelle idée, c'est de filmer la « Croisière noire ». 8 000 photographies et 50 films documentaires sont rapportés. Les cinémas projetteront des images qui feront sensation : des autochenilles Citroën traversant des rivières à gué, ou la vie quotidienne de populations que l'on n'a jamais vues.

explore la terre et le fonds des mers

Au cours de sa longue vie, le zoologue et botaniste Théodore Monod découvre 158 espèces nouvelles et récolte 20 000 échantillons de plantes pour son herbier. Il est aussi un des plus grands explorateurs des déserts. C'est là qu'il observe notamment les plantes dites annuelles qui profitent d'une seule averse pour germer, pousser, fleurir, faire mûrir leur fruit et répandre leurs graines. Il remarque que la plus rapide est la *Bœrhavia repens*. Sa graine réussit cet exploit en 8 jours seulement.

**L'EVEREST, 8 850 MÈTRES D'ALTITUDE,
LA MONTAGNE LA PLUS HAUTE DU MONDE**

La passion pour l'exploration aventureuse des hautes montagnes naît au XVIIIe siècle. La première ascension du plus haut sommet d'Europe, le mont Blanc (4 810 mètres), en France, est réalisée en 1786 par deux alpinistes, Michel-Gabriel Paccard et Jacques Balmat. Dès lors, les Hommes atteindront des sommets de plus en plus élevés. En 1953, le Néo-Zélandais Edmund Hillary et le Népalais de l'ethnie sherpa Tenzing Norgay sont les premiers à atteindre l'Everest, le plus haut sommet du monde, à 8 850 mètres d'altitude dans l'Himalaya, aux confins du Népal et du Tibet. Pour le gravir, ils ont vaincu froid et fatigue extrêmes, et ont disposé d'un appareil à oxygène efficace.

INCONNUS FLECHEIROS

Sydney Possuelo est un spécialiste des communautés indiennes vivant coupées du monde au fin fond de la forêt amazonienne au Brésil. En 2003, il va recueillir les traces de présence laissées au cours de leurs déplacements par les Indiens Flecheiros, qui nomadisent en vivant de chasse, de pêche et de cueillette. Sydney Possuelo veut délimiter l'étendue de leur territoire pour les protéger de toute intrusion. Et, au cours de cette mission, il s'organise pour, surtout, éviter de les rencontrer. En effet, les précédents contacts des tribus isolées avec le monde extérieur se sont traduits par le décès de la moitié des populations, dû au choc microbien ou viral. La vie des 17 tribus encore isolées comme les Flecheiros est donc quasiment inconnue. On considère aujourd'hui que leur isolement est leur meilleur moyen de survie et de maintien de leur culture.

Au-delà du

L'aventure de l'exploration spatiale ouvre aux Hommes le chemin des étoiles. Elle nous aide à comprendre notre univers, les astres qui le peuplent et bientôt les origines de la vie. Elle porte aussi des rêves : celui de trouver des vies, des formes de vie sur d'autres planètes, et celui de découvrir de nouveaux territoires qui pourraient héberger l'humanité d'ici quelques siècles. Depuis l'Antiquité, les Hommes rêvaient d'explorer l'espace, mais une énorme force les en empêchait : l'attraction terrestre, qui agit comme un aimant. À partir de la seconde moitié du XXe siècle, grâce à de formidables progrès scientifiques et techniques, l'Homme réussit à s'en affranchir, en inventant des fusées dont la vitesse atteint 28 000 kilomètres à l'heure. La compétition de prestige entre les États-Unis et l'URSS accélère le mouvement pour lancer des explorations spatiales très coûteuses. Après l'envoi d'animaux, dont la chienne Laïka pour l'URSS et le chimpanzé Ham pour les États-Unis, le premier vol d'un Homme dans l'espace aura lieu en 1961. En 1969, il marchera sur la Lune, et en 1973 il pourra vivre plusieurs semaines dans l'espace avec la première station spatiale, une sorte de maison de l'espace. À leur retour, les astronautes évoqueront l'émotion d'avoir découvert la Terre si bleue, si petite.

NOTRE VOISINE : LA PLANÈTE MARS

En 1997, un véhicule robot libéré par la sonde américaine *Pathfinder* se pose sur Mars. Téléguidé depuis la Terre, il recueille des informations sur cette planète. Nous savons maintenant que sur Mars se dresse le sommet le plus élevé du système solaire. Ce volcan culmine à 27 kilomètres d'altitude. Son diamètre à sa base est de 600 kilomètres et sa dernière éruption aurait eu lieu il y a 800 millions d'années. On a aussi relevé que la température sur Mars est de 50 degrés en dessous de zéro et que, dans le passé, il y a eu de l'eau sous forme liquide et donc la possibilité d'une forme de vie, peu évoluée toutefois.

globe :
la conquête
de l'espace

BIP, BIP, BIP

En octobre 1957, l'URSS, la Russie actuelle, lance le premier satellite artificiel dans l'espace. Il s'appelle *Spoutnik* (qui signifie « compagnon » en russe), pèse 83,6 kilos et émet des signaux qui peuvent être écoutés sur les ondes des radios du monde entier. Ses signaux sont : bip, bip, bip. Un mois plus tard, l'URSS place sur orbite un deuxième satellite artificiel, *Spoutnik 2*. À son bord a été installée une petite chienne, Laïka, qui est le premier être vivant à tourner autour de la Terre. En 1961, le Russe Iouri Gagarine est le premier Homme qui voyage dans l'espace. Stupéfaits et traumatisés par ce flamboyant succès russe, les Américains lancent un programme de conquête de la Lune.

ON A MARCHÉ SUR LA LUNE

Le 20 juillet 1969, 500 millions de téléspectateurs assistent, en direct, au couronnement d'un rêve millénaire : les premiers pas de l'Homme sur la Lune. « C'est un petit pas pour l'Homme, mais un pas de géant pour l'humanité », dit l'astronaute, l'Américain Neil Armstrong. Avec sa démarche maladroite en raison de l'apesanteur, il va planter le drapeau américain sur le sol lunaire, comme les explorateurs d'autrefois l'ont fait sur de nouvelles terres. Pour réussir cet exploit technologique, il a fallu la compétence et le courage des Hommes, et aussi d'extraordinaires moyens. En 1969, l'industrie spatiale américaine emploie 320 000 travailleurs.

UN GRAND COUP DE BALAI DANS L'ORBITE GÉOSTATIONNAIRE ?

Depuis *Spoutnik* en 1957, plus de 4 500 satellites ont été lancés sur orbite : satellites de télécommunication, météorologiques ou militaires. Mais, après utilisation, ils ne se désintègrent pas tous complètement. En ce moment, 40 000 débris spatiaux d'une taille supérieure à celle d'une orange tournent autour de la Terre à très grande vitesse et peuvent entrer en collision avec des satellites ou des missions habitées. Il est donc envisagé de créer des « services de nettoyage » pour les détruire.

L'Everest : dangers sur le toit du monde

L'Everest, dans la chaîne de l'Himalaya, est le plus élevé et, aujourd'hui, le plus fréquenté des hauts sommets du monde. Depuis 1921, date de la première expédition, et surtout 1953, date de la première ascension réussie par le Néo-Zélandais Edmund Hillary et le Sherpa népalais Tenzing Norgay, l'ascension de l'Everest est un formidable défi qui attire toujours davantage de candidats. En 2007, 514 personnes ont tenté d'atteindre le sommet. Or l'ascension est très pénible (vent et froid insupportables, fatigue, manque d'oxygène, essoufflement) et extrêmement périlleuse. De plus, toutes les expéditions choisissent le même moment pour l'accomplir, généralement au mois de mai, seule courte période de temps calme et clair. Cette situation donne parfois lieu à des encombrements dangereux sur l'arête du sommet, ce qui est paradoxal pour un endroit aussi inaccessible. Entre 1921 et 1996, sur 630 personnes qui ont réussi l'ascension de l'Everest, 144 ne sont jamais revenues. Un tiers d'entre elles étaient des Sherpas.

CAMPAGNES DE NETTOYAGE

Les alpinistes sont si épuisés pendant l'ascension des 1 000 derniers mètres avant le sommet de l'Everest qu'ils s'allègent au fur et à mesure et abandonnent des bouteilles d'oxygène vides, du matériel d'alpinisme, des tentes, des emballages alimentaires et autres : avec 50 tonnes de déchets, l'Everest a été décrit comme la plus haute décharge du monde. Alors, la pollution serait la rançon obligée du succès de l'Everest ? Non, car depuis 2000 des campagnes de nettoyage menées par des associations ont permis de redescendre des tonnes de déchets. En quatre expéditions, le Japonais Ken Noguchi en a redescendu 7. En 2006, une équipe de huit grimpeurs internationaux et de neuf Sherpas en a redescendu 1,3. Et, dorénavant, les alpinistes sont vivement incités à ne pas laisser traîner leurs bouteilles vides.

POLLUTION DANS LA VALLÉE

La petite région de la vallée népalaise de l'Everest attirait 62 visiteurs e[n] 1964. En 2001, ils étaient plus de 21 000 à venir y séjourner pour fair[e] randonnées. Cette augmentation de la fréquentation a des conséqu[ences] néfastes sur l'environnement : trop d'arbres abattus pour prépare[r] les repas et les douches chaudes, pollution des eaux. Toutefois, les Sherpas engagent des actions de reforestation et des proje[ts] sanitaires. Certains d'entre eux se sont lancés dans le comm[erce] et ont tiré parti de l'afflux touristique. Ils considèrent la venu[e des] visiteurs étrangers comme un bienfait.

MODERNISATION DE LA VIE DES POPULATIONS SHERPAS

Dans la région de l'Everest, autrefois, les Sherpas élevaient des yaks, et les Népalais qui les gouvernaient les considéraient comme des montagnards un peu arriérés. Des familles sherpas ont demandé au premier vainqueur de l'Everest, Hillary, de leur faire construire leurs toutes premières écoles. Hillary en a fait construire 25. Les Sherpas ont accédé à l'éducation et certains d'entre eux ont poursuivi des études supérieures.

LES SHERPAS : DES PORTEURS DE HAUTE ALTITUDE SANS LESQUELS RIEN NE SERAIT POSSIBLE DANS LE MASSIF DE L'EVEREST

Depuis les premières tentatives d'ascension de l'Everest, les grimpeurs engagent des Sherpas, peuple montagnard du Népal, pour porter jusqu'à 7 925 mètres d'altitude leur lourd et encombrant chargement : tentes, matériel d'escalade, nourriture, bouteilles d'oxygène, pétrole pour les réchauds de cuisine. En outre, les Sherpas grimpent en avance pour établir les campements et installer des cordages de sécurité. Nés dans les hautes vallées proches de l'Everest, les Sherpas sont relativement acclimatés à la haute altitude.

L'île de Pâques : une nature fragile

Isolée au milieu du Pacifique à 3 600 kilomètres à l'ouest des côtes d'Amérique latine, l'île de Pâques est une terre volcanique de 12 kilomètres de large. 900 mystérieuses statues géantes, vestiges d'une civilisation disparue, bordent ses côtes. D'après les résultats des fouilles archéologiques, l'île aurait été peuplée à partir de l'an 1000 par des familles polynésiennes. Elles utilisèrent des arbres de l'île, alors couverte de forêts, pour construire des bateaux de pêche. Puis chacun des clans de l'île sculpta des statues très hautes et les achemina depuis des carrières jusqu'aux côtes sur des rondins de bois. La coupe intensive des arbres pour le transport des statues et la construction des bateaux aurait conduit à fragiliser la forêt, à tel point qu'elle disparut, entraînant aussi l'extinction des nombreuses espèces d'oiseaux qui nichaient dans l'île. Vers 1650, sans pêche faute de bateaux, les habitants de l'île auraient affronté une famine qui conduisit à une guerre civile. Le géographe Jared Diamond fait de l'île de Pâques l'exemple de l'effondrement d'une civilisation qui se serait détruite elle-même en saccageant son environnement. Aujourd'hui, cette île sans arbres ni oiseaux compte 4 000 habitants.

LES STATUES

Appelées *moai*, les statues représentent des dieux ou des ancêtres déifiés. Chaque clan en érigeait une sur son territoire afin de s'assurer une protection divine. Les statues étaient placées sur des plateformes en pierre, dos à la mer, regardant vers le clan qui était le leur. Sculptées dans la roche volcanique, elles pèsent en moyenne de 15 à 20 tonnes. Il n'empêche qu'elles sont fragiles, comme en témoignent sur l'île les restes de statues brisées pendant les transports. Au moment de la famine et de la guerre civile sur l'île, les habitants ne sculptèrent plus de véritables monuments, mais de petites statues aux joues creuses.

PAS D'ACCORD

Les archéologues français Catherine et Michel Orliac pensent que les habitants de l'île de Pâques n'ont probablement pas détruit leur forêt. Ces Polynésiens, excellents marins, faisaient attention à protéger leurs arbres, qui fournissaient le bois nécessaire à la construction de leurs bateaux. Les deux scientifiques évoquent un problème climatique : vers 1650, une sécheresse durable aurait fait disparaître les arbres de l'île de Pâques. Sans humidité, ils n'auraient pas survécu. Catherine et Michel Orliac soulignent que les fouilles archéologiques sur l'île de Pâques ne sont entreprises que depuis une cinquantaine d'années et qu'elles ne font que commencer.

? Le saviez-vous ?

Le nom polynésien de l'île de Pâques est Rapa Nui. Le premier Européen qui la décrivit, l'explorateur hollandais Jakob Roggeveen, y avait accosté en 1722, précisément le jour de la fête chrétienne de Pâques. C'est pour cela qu'il lui a donné ce nom-là.

LE NAVIGATEUR FRANÇAIS LA PÉROUSE : PIONNIER DE LA QUESTION ÉCOLOGIQUE ?

En 1786, quand il débarqua à l'île de Pâques, où il ne poussait plus aucun arbre, le navigateur La Pérouse fut le premier à imaginer que les habitants, en des temps sans doute reculés, avaient peut-être causé leur propre perte en commettant l'imprudence de déboiser massivement. « Un long séjour à l'île de France [actuelle île Maurice], qui ressemble si fort à l'île de Pâques, m'a appris que les arbres n'y repoussent jamais, à moins d'être abrités des vents de mer par d'autres arbres ou par des enceintes de murailles ; et c'est cette connaissance qui m'a permis de comprendre la cause de la dévastation de l'île de Pâques », écrit-il.

Glossaire

>> **ABYSSE :** grande profondeur sous-marine.

>> **AMONT :** partie d'un cours d'eau située entre un point considéré et la source.

>> **ANTARCTIQUE :** concerne le pôle Sud et les régions qui l'entourent.

>> **ARCTIQUE :** concerne les régions polaires du nord.

>> **ARTILLERIE :** matériel de guerre, dont les canons.

>> **ASTROLABE :** instrument servant à mesurer la hauteur d'un astre (ou distance angulaire) et permettant de déterminer la latitude à l'aide de tables de déclinaison.

>> **ASTRONOME :** personne qui s'occupe de la science des astres et qui étudie la structure de l'univers.

>> **ATLAS :** recueil de cartes géographiques.

>> **AUSTRAL :** situé au sud de la planète.

>> **BANQUISE :** glaces flottantes formant une très grande plaque.

>> **BOTANISTE :** personne qui s'occupe de l'étude des végétaux.

>> **BOUSSOLE :** boîte contenant une aiguille de fer aimantée indiquant le nord magnétique. Placée dans un habitacle avec un entourage dessinant la rose des vents, elle permet de contrôler l'écart entre l'orientation à suivre et la direction du navire.

>> **CALIFE :** « successeur » du Prophète à la tête de l'État musulman.

>> **CAPITALISME :** dans un sens primaire, état de la personne qui possède des richesses.

>> **COLONIE :** territoire dominé et administré par un État étranger.

>> **COMPTOIR :** installation commerciale, en principe sur une côte, contrôlée par un État situé dans un pays étranger.

>> **CONQUISTADOR :** ce terme désigne les soldats espagnols, souvent aventuriers, qui firent la conquête du Nouveau Monde. Cortés et Pizarro sont les plus célèbres.

>> **CROIX** : instrument de la mort de Jésus, elle est devenue signe de reconnaissance des chrétiens et symbole jusqu'à nos jours.

>> **DÉMOGRAPHIE** : étude quantitative des populations.

>> **ENTREPONT** : sur un bateau, espace entre deux ponts.

>> **ÉQUATORIAL** : concerne un espace compris entre les deux tropiques, de chaque côté de l'équateur.

>> **ESCLAVE** : être humain de condition non libre, considéré comme un instrument pouvant être vendu ou acheté, dépendant d'un maître.

>> **EXPLORATEUR** : celui qui aborde une civilisation, une terre qui lui est inconnue, dans un but religieux, commercial ou scientifique.

>> **EX-VOTO** : mot latin signifiant « en conséquence d'un vœu ».

>> **GOUVERNAIL D'ÉTAMBOT** : placé dans l'axe du navire et fixé avec des gonds à l'arrière du navire, il est plus robuste que le gouvernail latéral et facilite considérablement les manœuvres.

>> **IMMUNITÉ** : en biologie, il s'agit de la résistance d'un organisme vivant à un agent infectieux.

>> **INDIGÈNE** : désigne les autochtones d'un pays.

>> **LAGUNE** : étendue d'eau de mer, comprise entre la terre ferme et un cordon littoral.

>> **MANGROVE** : végétation des régions côtières tropicales avec des forêts impénétrables de palétuviers.

>> **MISSIONNAIRE** : à la suite des grandes explorations, prêtre envoyé d'Europe pour convertir un peuple à la religion chrétienne.

>> **MORATOIRE** : suspension d'une activité.

>> **NATURALISTE** : personne qui s'occupe de l'étude des sciences naturelles (botanique, zoologie et minéralogie).

>> **OCCIDENTAL** : qui est situé à l'ouest.

>> **ORIENTAL** : qui est situé à l'est.

>> **PALÉONTOLOGIE** : étude des fossiles des êtres vivants ayant peuplé la Terre.

>> **PAPE** : chef de l'Église catholique romaine.

>> **PORTAGE** : transport à dos d'Homme.

>> **PORTULAN** : carte marine des premiers navigateurs. Ce terme désigne aussi les livres contenant la description des ports et des côtes.

>> **PRÉCOLOMBIEN** : qui concerne l'Amérique avant l'arrivée de Christophe Colomb.

>> **SEPTENTRIONAL** : qui est situé au nord.

>> **SEXTANT** : mis au point au XVIIIe siècle, instrument muni d'un secteur gradué de 60 degrés, qui permet de mesurer, à partir d'un navire, la distance angulaire d'un astre avec l'horizon.

>> **TALISMAN** : objet auquel on attribue des vertus magiques ou protectrices.

>> **TIRANT D'EAU** : mesure de l'enfoncement d'un navire dans l'eau, de la quille à la ligne de flottaison.

>> **TONNEAU** : unité de volume utilisée autrefois pour déterminer la capacité des navires.

>> **TROPICAL** : concernant les régions des tropiques de part et d'autre de la zone équatoriale.

>> **ZOOLOGIE** : étude des animaux.

ISBN : 9782352190271 – Dépôt légal mai 2007
Loi n° 49-956 du 16 juillet 1949 sur les publications
pour la jeunesse.
© 2007, Convergences, un département
de Place des Éditeurs
© 2007, TF1 Entreprises